JN254918

この本の使い方

　この本では、卓球のシェークハンドラケットで上達するためのコツを50紹介しています。ラケットの握り方や基本打法、ラリーなどの台上技術、サービスの出し方、戦型と戦術の考え方まで様々な知識やポイントを掲載し、着実にレベルアップできる内容になっています。

　各ページには、テクニックを習得する

ためのコツとポイントが写真を使いわかりやすく記載されているので、シェークハンド上達に必要な知識や技術が、ステップを踏みながら理解できます。自分の得意なところや興味のある分野、あるいは苦手なテクニックなど注目したい項目は、注意深くチェックしてみましょう。

コツ
10　シェークのストローク
ストロークを軸にラリーを組み立てる

フォア　　バック

フォアとバックから多彩なショットを打つことができるシェークハンド。あらゆる打法をマスターしてレベルアップしよう

メイン・連続写真
コツやテクニックに関する詳しい知識や、動作などをトップ選手がモデルとなり、試合写真・連続写真でレクチャーする。

解説
タイトルと連動してプレイヤーとしてレベルアップするためのセオリーや考え方を解説。じっくり読んで頭で理解しよう。

フォアとバックはラケットの別々の面で打つ

　シェークハンドの打法には、ラケットを持った利き手側に来たボールを打つ「フォアハンド」と、その逆側のボールを打つ「バックハンド」がある。それぞれラケットの別々の面で打つのが特徴。
　台からやや離れて打つ技術では、ドライブが最も基本的な打法。基本ストロー

クを軸に様々なショットを織り交ぜながらラリーを組み立てていく。強く前進回転をかけるドライブは、攻撃の軸となる。バックハンドでも対応しやすいのはシェークハンドのメリット。ドライブで主導権を握って決定打へと持っていきたい。

28

PART2 シェークハンドの基本打法

POINT 1

バックからも多彩な攻撃を仕掛ける

シェークハンド最大の特徴はバックの自在性にある。両面で打つことができるのでペンのような窮屈なバックスイングをとらなくても、シンプルな動作で打球できる。そのためバックハンドでも多彩な打ち方や回転をかけることが可能。

POINT 2

ドライブはループ系やスピード系で多彩に攻める

強く前進回転をかけることで、攻撃の軸となるドライブ。上体を沈ませてタメを作り、山なりのボールで相手のタイミングを狂わすループドライブや、やや強いインパクトによりスマッシュに近い軌道となるスピードドライブなどがある。

POINT 3

ウイニングショットとして叩き込むスマッシュ

高い打点から振り抜くスマッシュは、直接得点に結びつけるためのウイニングショット。力まずにフリーハンドを効果的に使って、腰の回転力を速めることにより鋭い打球になる。バックスマッシュは難易度が高いがシェークなら可能だ。

プラスワン アドバイス +1

台からの距離の違いで前陣・中陣・後陣に分かれる

卓球台からどのくらい離れてプレーするかで、「前陣」「中陣」「後陣」に分けられる。前陣は台から約1メートル以内、中陣は1〜2メートル、後陣は2メートル以上。もちろん、これはあくまでも基本であり、ラリーや試合展開、相手によって前後する。

CONTENTS

※本書は2018年発行の『勝つ！卓球　シェークハンドの戦い方　最強のコツ50』を元に、必要な情報の確認と書名・装丁の変更を行い、新たに発行したものです。

PART3　シェークハンドの台上技術

PART4　シェークハンドのサービス

PART 1

シェークハンドの特徴

01

シェークハンドとペンホルダーの違い
「シェークハンド主流」の理由を理解する

握手するように握るシェーク
ハンドのラケット

シェークハンド使用のトップ選手は全体の8〜9割

　戦後から1980年代は、ペンホルダーが主流だったアジア勢が世界の卓球界をリードし、そこにシェークハンドを主流とするヨーロッパ勢が台頭。ヤン・オベ・ワルドナーらスウェーデン勢が80年代後半から90年代に黄金時代を築き、世界の潮流はシェークハンドに傾く。

フォアとバック両面でのスピーディな攻防が求められる現代卓球では、シェークハンドを選択する選手が圧倒的。8〜9割を占めると言われるトップ選手の影響を受け、ジュニア世代から多くのアマチュアプレイヤーがシェークハンドを使用している。

POINT 1

握手するように握る
丸型のシェークハンド

　両面にラバーを貼って使用。フォアハンドは片方の面で、バックハンドはもう片方の面で打つ。ラケットの重さは初心者が 165 ～ 175 g 程度、中級者以上は 180 g が目安。ラバーを両面に貼るため、操作しやすい。

POINT 2

繊細な操作が必要なペンより
シェークの方が扱いやすい

　90 年代のシェーク台頭時代の選手が指導者となり、今の小中学生や 20 代の選手がシェークハンドを使うのは、もはや必然の流れ。とくに身長の小さな子供にとって、台の上の高い打球に手が届きやすいシェークの方が操作しやすい。

POINT 3

ペンを持つように握り
フォアもバックも同じ面で打つ

　ペンを持つように握るペンホルダー。なかでもグリップ部分にコルクがついている「日本式ペン」は、片面だけにラバーが張ってあり、フォアハンドもバックハンドも同じ面で打つ。バックハンドの動作では制限がある。

+1 プラスワン アドバイス

両面にラバーを張り
ペンの握りで両面を使う

　ペンホルダーでも、シェークハンドのグリップをやや短くしたような形状で、両面にラバーを張るのが「中国式ペン」。ペンを持つように握りながら、バックハンドはシェークハンドのように裏面で打つ。両方のラケットの強みがある一方、扱いが非常に難しい。

シェークハンドのメリット
操作性を生かしてラリーで上回る

操作がシンプルなシェークハンドは、バックからも多様な攻撃が可能

フォアとバックの両面で強烈なドライブが可能

シェークハンドの魅力は、操作がシンプルで、フォアハンドとバックハンドの切り替えがしやすい点。とくにバックハンドはペンホルダーより打ちやすく、それに伴ってバック側への移動距離も少なくて済む。初心者がシェークから入りやすいのも、その理由による。

また、バックで強烈なドライブが打てるのもシェークならでは。攻撃的なプレーを志向するなら、シェークを使用したい。体の真正面に来たボールは処理しにくく、台上の小技もペンホルダーに比べてやりづらい点はあるが、現代卓球の主流は圧倒的にシェークハンドである。

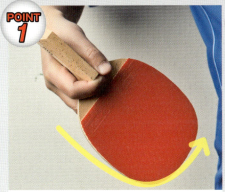

POINT 1

ペンのバックハンドは シェークに比べて難しい

　ペンはシェークに比べ、バックハンドに難しさがある。面を作るために手首を捻らなければいけないからだ。肩やヒジの力も動員しないと、強打になりにくい。リーチも短いため、体から遠いボールにはフットワークが欠かせない。

POINT 2

握り方を工夫することで 多彩なサービスが可能

　シェークは握り方を変えることで、サービスにおいてボールに多彩な回転をかけられる。例えば、しゃがみながら顔の近くでインパクトする「しゃがみこみサービス」は、ラケットの両面を使えるため、バリエーションが豊富になる。

POINT 3

攻撃から守備まで幅広い プレースタイルに適応

　現在の主流となっている戦型は、ボールに前進回転をかけて攻撃的に打ち合う「ドライブ型」。フォアもバックも強打が可能なシェークハンドは、とくにドライブ型に適しているが、守備でも安定したプレーができる多様性を持つ。

プラスワン +1 アドバイス

シェークの弱点は体の正面 ペンにもメリットはある

　シェークハンドの弱点と言えるのが、体の正面に来たボール。フォアかバックのどちらで処理すべきか一瞬迷ってしまう上、いずれで打つにしても十分な体勢を作りづらい。その点に関しては、バックハンドで対応できるペンホルダーの方が優れている。

シェークハンドのグリップ
自分の手になじむグリップを選ぶ

ストレート

「ST」と表示され、グリップ部分の上から下までまっすぐで同じ太さになっている

フレア

アナトミック

「FT」と表示され、すそ広がりの形状。軽く握ってもしっかり握っているようなフィット感を得られる

「AN」と表示され、樽型のような形状。フレアをベースに、グリップの中央部分がやや膨らんでいる

ストレート

握り方により角度を変えやすく、瞬間的なグリップ変更が可能。浅く握っての台上プレーや、しっかり握って中陣からの攻撃プレーなど、使い分けを違和感なくできる

フレア

重心がラケット中央付近にあり、ラケット面を安定しやすく、汗をかいてもすっぽ抜ける心配が少ない。フルスイングしやすいので、攻撃的なプレイヤーに適している

アナトミック

手のひらにあたる部分が膨らんでおり、隙間なくしっかり握れる。パワーを前面に出したプレーや、相手の打球に押されずにしっかりと面を作ることが可能だ

手の大きさや戦型に適したグリップでレベルアップを図る

　ラケットを握る柄の部分であるグリップには、いくつかのタイプがある。まっすぐの形状の「ストレート」と、グリップエンド（先端）に曲線的に広がっていく「フレア」が現在の主流。他に、中央部分が膨らんでいる「アナトミック」やラケット面に近づくにつれて直線的に細くなっていく「コニック」、グリップエンドにかけて徐々に厚くなっていく「ストレートインクライン」などもある。

　握ったときの感覚はそれぞれのタイプで異なる。自分の手の大きさや戦型を考え、実力を発揮しやすく、かつレベルアップを図りやすいグリップを選ぼう。

シェークのラバー
プレースタイルに合わせてラバーを使いわける

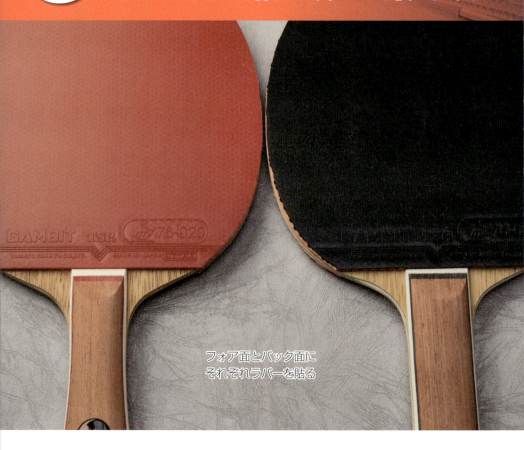

フォア面とバック面に
それぞれラバーを貼る

シェークでは赤と黒の2色を使用するのが主流

　ラバーとは、ボールが当たる部分のゴム製のシートと、その下にあるスポンジの総称。「裏ソフト」「表ソフト」「ツブ高」「一枚ラバー」など数種類のラバーがあり、厚さについてシートは2ミリまで、シートとスポンジを合わせて4ミリ以内定められている。

　現代卓球では、回転をかけやすく、幅広いプレーに対応する裏ソフトが主流。前陣速攻ならば表ソフト、ブロックやカットなどの守備を重視するならツブ高が有効だ。両面に貼る場合は表裏異なる色にしなければならないため、シェークでは一方が赤、もう一方は黒が一般的。

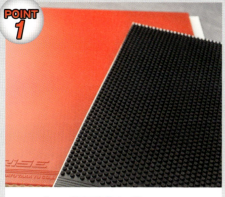

POINT 1

シートの主原料はゴム
赤と黒色が主流

　ラバーのシート部分は天然ゴムまたは合成ゴムが主原料で、赤と黒が主流。異なる性質の同色ラバーをそれぞれの面に貼ると、相手選手が見分けられなくなることから、ラケットの両面は異なる色にしなければならない。

POINT 2

ラバーの特性を知り
自分の目指す卓球に生かす

　ラバーは、裏ソフトラバーが主流で、表ソフトラバーやツブ高ラバーも一般的（詳細はP18～21で）。他にも、表ソフトラバーからスポンジを除いた「一枚ラバー」や、表面がつるつるで摩擦がない「アンチスピンラバー」もある。

POINT 3

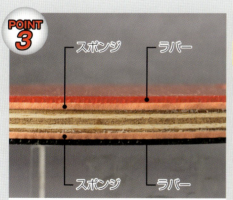

スポンジ　　ラバー
スポンジ　　ラバー

スポンジは厚いほどよく弾み
スピードが出る

　スポンジ部分は、厚さがコントロールや安定性に大きく関わる。特厚、厚、中、薄、極薄などがあり、その数値はメーカーによって多少異なる。基本的にはスポンジが厚いほどよく弾み、打球にスピードが出るが、その分、重くなる。

プラス ワン +1 アドバイス

ラバーが痛んだら交換を
メンテナンスも心がけよう

　ラバーの端（ラケット面の外周）が欠けたり、表面に傷が目立ってきたら替え時。卓球ラバー専用の接着剤を使って新品に交換しよう。このとき、全体的に均一の厚さになるようにしなければならない。専用のクリーニングフォームもあるので有効に活用したい。

コツ 05

裏ソフトラバー
ショットの回転を増して攻撃的に攻める

トップ選手の多くが使う裏ソフトラバーは、回転を多くかけやすく幅広いテクニックに使用できる

回転をかけやすくスピードもあり、オールマイティ

表面が平らでボールとの接触面積が大きく、かつ接触時間が長くなるため、回転をかけやすく、スピードも出る。ラバーにボールが食い込んで球離れが遅くなるので、相手からすると初速が遅く、だんだん速くなるという打球に感じる。幅広いテクニックに対応できる特性もあり、

攻撃型の選手を中心にトッププレイヤーの多くが使用している。

卓球は「回転のスポーツ」と言われるように、あらゆる局面で回転が関わる。扱いやすくオールマイティであると同時に、回転の感覚を覚えるためにも、初心者には裏ソフトラバーを推奨したい。

POINT 1

平らな表面により摩擦が大きく球離れが遅くなる

　表面が平らで摩擦力が大きいため、ボールに回転をかけやすい。ただし、相手からの回転の影響を受けやすいという面もある。ボールとの接触面積が大きく、接触時間が長くなるため、ラバーにボールが食い込み、球離れが遅くなる。

POINT 2

回転を生かして威力のある打球を打てる

　回転のかけやすさからサーブからのドライブを主体としたオールラウンドなプレーに向く。打球は初速がやや遅くなるが、回転が加わることで威力を出せる。ボールのコントロールがしやすく、初心者を含む幅広い層で使われている。

POINT 3

オールラウンド型に最適ドライブやカットでも有効

　裏ソフトラバーは、多くの戦型で使える。とくに両面に裏ソフトラバーを貼り、ドライブやブロック、ロビング、カウンターなど多彩な技術を駆使するオールラウンド型は最適。ドライブ主戦型やカット主戦型も裏ソフトラバーが生きる。

+1 アドバイス

同じ裏ソフトラバーでも目的に沿ったものを選択可能

　裏ソフトラバーはいくつかの種類に分けられる。安定性が高く、伸びのあるドライブに最適な「高弾性・高摩擦系」、ボールを弾ませることに特化した「テンション系」、回転をかけやすい「粘着系」、コントロールしやすい「コントロール系」などがある。

表ソフトラバー
スピードを生かして試合を優位に進める

表ソフトラバーは、相手の打ったボールの回転に影響をされにくい

相手ボールの回転の影響を受けず、スピードで勝負する

　シートの粒の面を外向きにしてスポンジと貼り合わせたのが表ソフトラバー。裏ソフトラバーほど回転はかからないが、相手の打ったボールの回転に影響されにくいという利点がある。ボールとの接触時間が短く、球離れが早いので、前陣速攻型のようにタイミングの速さやスピードで勝負したい選手に向いている。

　ただし、威力が出る分、コントロールがしにくい。そのため、裏ソフトラバーの面でラリーを組み立て、チャンスボールを表ソフトラバー側で仕留めるのが一般的。相手のサーブをフリックで返すという戦術も積極的にとることができる。

ツブ高ラバー
相手ボールの回転を利用して返球する

相手の打ったボールの回転を利用して返球できるツブ高ラバー

インパクト時に粒が倒れて、独特な変化をもたらす

ツブ高ラバーは、シートの粒が表ソフトラバーよりも細く高いのが特徴。自分から回転をつけるのは難しいが、インパクトしたときに粒が折れ、粒の側面でボールが滑るため、相手の回転を利用して返球できる。相手の回転が強いほど強い回転となり、相手のボールが上回転なら下回転、右回転なら左回転というように逆回転になって返る。

ボールの勢いを吸収しやすい構造から、ブロックやカットなどの技術もやりやすい。ナックル性のボールも出しやすく、相手を翻弄できる。シェークハンドではバック側に貼る選手が多い。

21

シェークハンドの握り方
握手をするようにリラックスして握る

フォアとバック両方で握りやすい
グリップが理想

フォアもバックも瞬時に対応できるように握っておく

「シェークハンド（＝握手）」という名の通り、握手をするように握るのが基本。親指と人差し指でブレード（板）部分を挟み、中指・薬指・小指の3本でグリップを握る。このとき親指はグリップの最上部に軽く沿え、人差し指は先がラケットの縁にかかるくらいがちょうどいい。

人差し指はまっすぐ立ててしまうと、スムーズな操作がしにくくなる。

通常は軽く握っておく。強く握ろうとすると、力んでしまうので、インパクトの瞬間だけギュッとしっかり握る。フォアハンドとバックハンドのどちらも打ちやすい握り方になるのが理想だ。

POINT 1

基本の握り方はラケットが 親指と人差し指の中間にくる

　握りを上から見たとき、ラケットが親指と人差し指の中間に来るのが基本。親指側に倒すとフォアハンド重視に、人差し指側に倒すとバックハンド重視の握りになる。2本の指の間から少しだけグリップが見えているぐらいが一般的。

POINT 2

人差し指は先がラケットの 縁にかかるくらいにする

　人差し指をまっすぐ立てると、威力のあるフォアハンドが打てるものの、バックハンドの際に手首が使いづらくなる。ラケットをスムーズに操作し、フォアもバックも同じレベルで打つには、指先がラケットの縁にかかるくらいが適度。

POINT 3

フォア面を内側に傾けると カーブドライブをかけやすい

　基本の持ち方からフォア面をやや内側に向ける（上から見たときに上部を親指側に傾ける）と、フォアのドライブでカーブ（左回転）をかけやすく、バックドライブもスイングしやすくなる。局面に応じて握りを微妙に変える手もある。

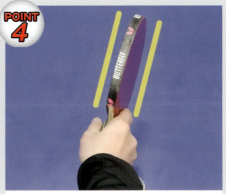

POINT 4

フォア面を外側に傾けると 台上テクニックをしやすい

　基本の持ち方からフォア面をやや外側に向ける（上から見たときに上部を人差し指側に傾ける）と、フォアのドライブでシュート（右回転）をかけやすく、台上テクニックもしやすくなる。実際に試してその感覚を覚えてみよう。

構え方
すばやく動ける待球姿勢を作る

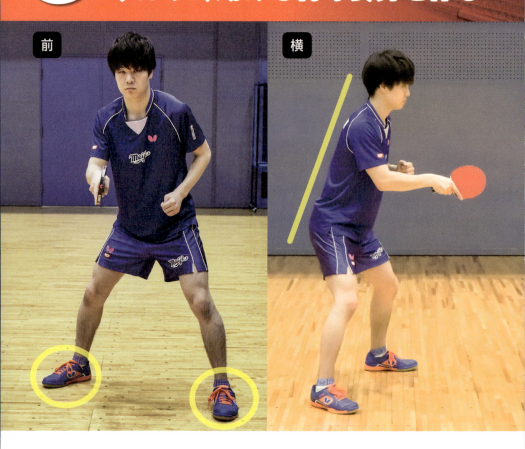

前

横

肩やヒザの力を抜き、リラックスした状態で構える

　ボールを待つときの構え（待球姿勢）は、すばやく反応して動けることが最重要。両足は肩幅よりやや広めに開き、平行あるいは利き手と逆の足を半歩前に置く。ヒザを軽く曲げて腰を落とし、やや前傾姿勢に。両ヒジは直角ぐらいの角度で構えると、フォア側、バック側のどち

らにでも瞬時に対応できる。

　台からの距離は、構えたときにラケットがエンドラインにちょうど触れるあたりが適当。ただし、ラリーが始まると、立ち位置は自分の戦型によって変わる。また、相手の得意ショットを考慮し、試合の中で微調整する必要もある。

極端に寄らず
ラケットは台より高く構える

　立ち位置は中央が基本。ペンホルダーではフォア側を空けて、バック側に寄る選手もいるが、バックのリーチが伸びるシェークハンドではあまりそうしない。ラケットは台より高い位置に来るようにし、短いボールに対応する。

レシーブ時の立ち位置が基本
ラリーでは戦型に応じて

　台からの距離は、構えたときにラケットがちょうど台に触れるあたりに。ラリーが始まると、「前陣」は台から1メートル以内に、「中陣」は台から1〜2メートルに、「後陣」は台から2メートル以上離れた位置でプレーする。

ラケットを持たない方の手は
ラケットに近い位置に

　構える際、フリーハンド（ラケットを持たない方の手）をおろそかにしないこと。ラケットと同じ高さで、脇をコブシ1個分空けるのが理想。試しにフリーハンドを下げて構えてみると、バランスが取りにくいことがわかる。

すばやく動けない姿勢では
理想の卓球にはならない

　両足が揃ったり、ヒザが曲がっていない、上体が立ったまま、前傾のしすぎなどは、すばやく動くことができない。ラケットやフリーハンドの位置が低すぎてもいけない。正しい待球姿勢と立ち位置をしっかり身につけよう。

上回転と下回転

　卓球は「回転のスポーツ」とも言われ、ボールの回転がプレーに大きな影響を与える。本書では様々なショットにおいて「回転のかけ方」を解説しているが、ここでは相手が回転をかけてきたときのバウンド後のボールの変化や対応について整理しておく。

上回転
相手が上回転（ドライブ）をかける

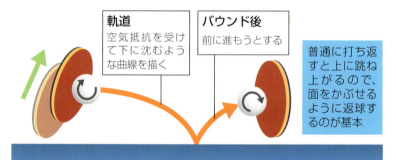

軌道
空気抵抗を受けて下に沈むような曲線を描く

バウンド後
前に進もうとする

普通に打ち返すと上に跳ね上がるので、面をかぶせるように返球するのが基本

下回転
相手が下回転（バックスピン）をかける

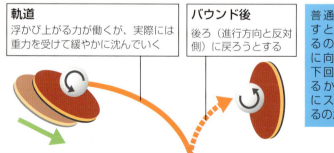

軌道
浮かび上がる力が働くが、実際には重力を受けて緩やかに沈んでいく

バウンド後
後ろ（進行方向と反対側）に戻ろうとする

普通に打ち返すと下に落ちるので面を上に向けて同じ下回転をかけるか、上方向にスイングするのが基本

PART 2

シェークハンドの基本打法

シェークのストローク
ストロークを軸にラリーを組み立てる

フォア

バック

フォアとバックから多彩なショットを打つことができるシェークハンド。あらゆる打法をマスターしてレベルアップしよう

フォアとバックはラケットの別々の面で打つ

　シェークハンドの打法には、ラケットを持った利き手側に来たボールを打つ「フォアハンド」と、その逆側のボールを打つ「バックハンド」がある。それぞれラケットの別々の面で打つのが特徴。

　台からやや離れて打つ技術では、ドライブが最も基本的な打法。基本ストロークを軸に様々なショットを織り交ぜながらラリーを組み立てていく。強く前進回転をかけるドライブは、攻撃の軸となる。バックハンドでも対応しやすいのはシェークハンドのメリット。ドライブで主導権を握って決定打へと持っていきたい。

POINT 1

バックからも
多彩な攻撃を仕掛ける

　シェークハンド最大の特徴はバックの自在性にある。両面で打つことができるのでペンのような窮屈なバックスイングをとらなくても、シンプルな動作で打球できる。そのためバックハンドでも多彩な打ち方や回転をかけることが可能。

POINT 2

ドライブはループ系や
スピード系で多彩に攻める

　強く前進回転をかけることで、攻撃の軸となるドライブ。上体を沈ませてタメを作り、山なりのボールで相手のタイミングを狂わすループドライブや、やや強いインパクトによりスマッシュに近い軌道となるスピードドライブなどがある。

POINT 3

ウイニングショットとして
叩き込むスマッシュ

　高い打点から振り抜くスマッシュは、直接得点に結びつけるためのウイニングショット。力まずにフリーハンドを効果的に使って、腰の回転力を速めることにより鋭い打球になる。バックスマッシュは難易度が高いがシェークなら可能だ。

プラス ワン +1 アドバイス

台からの距離の違いで
前陣・中陣・後陣に分かれる

　卓球台からどのくらい離れてプレーするかで、「前陣」「中陣」「後陣」に分けられる。前陣は台から約1メートル以内、中陣は1〜2メートル、後陣は2メートル以上。もちろん、これはあくまでも基本であり、ラリーや試合展開、相手によって前後する。

コツ 11

シェークで打つ基本的なフォアハンド

重心移動から頂点近くでインパクトする

コンパクトなスイングからしっかりボールをミートし、高い精度の打球を心がける

強く打つよりも狙ったところへのコントロールを意識する

フォアハンドのストローク（ロングとも言う）は、あらゆる打法の基礎となり、使用頻度が最も高い。台から30センチ以上離れた場所に立ち、待球姿勢で相手の動き（回転のかけ方など）をよく見る。ボールにタイミングを合わせ、利き腕側の足に重心を乗せながら、ラケットを後方に引いてバックスイングをとる。

重心を反対の足に移動させつつ、コンパクトかつすばやくスイング。インパクトはボールが頂点もしくは頂点より前のところを狙う。まずは強く打つよりも丁寧にコントロールすることを意識し、打ち終わったらすぐに待球姿勢を作る。

POINT 1

利き腕と反対側の足を半歩前に出す

　スタンスは肩幅よりやや広くし、利き腕と反対側の足を半歩前に出す。両足のつま先は軽く開いておくと、バックスイングの際に上体をスムーズにひねることができる。すばやく動けるように、かかとが少し浮いているぐらいがよい。

POINT 2

バックスイング時には利き腕側の足に重心を乗せる

　両ヒザは少し曲げてリラックスした体勢から、利き腕側の足に重心を乗せながらバックスイングをとる。腕だけでラケットを引くのではなく、腰を起点に上体をしっかりひねること。体全体を使うと、安定感のある打球になる。

POINT 3

重心を反対の足に移しながらコンパクトにスイング

　利き腕側の足に乗せた重心を、反対の足に移動させながらスイングする。インパクトはボールが頂点もしくは頂点より前を狙う。ヒジは直角くらいをキープし、相手のボールの威力を利用すると、力まずにインパクトできる。

プラス ワン +1 アドバイス ✕

利き腕側の足を前に出したり両足を平行に置くのは NG

　利き腕側の足を前に出したスタンスはNG。上体をスムーズにひねることができず、いわゆる〝手打ち〟になってしまうからだ。同じ意味で、左右の足を台に対して平行に置くのもあまり良くない。足の置き方で上体をうまくひねることができるか試してみよう。

PART2　シェークハンドの基本打法

31

シェークのフォアドライブ

ボールを下からこすり前進回転をかける

ボールを下から上
へこすりあげ、ボー
ルに前進回転（ド
ライブ）をかける

ボールが弧を描くように勢いよく飛ばす

　強く前進回転をかけるドライブは、攻撃の軸となる重要なストローク。回転がかかったボールは弧を描くように飛ぶため、オーバーミスが少なく、ラリーで優位に立つことができる。

　基本のストロークよりも腰を低く下げてバックスイングをとる。このとき、利き腕側の足にしっかり重心を乗せ、タメを作ることがポイント。十分な腰のひねりが勢いのあるスイングにつながる。うまくタイミングを合わせ、ラケットをボールにかぶせ気味にしながら、ボールを下からこすり上げるようにインパクトする。体全体を使うことで球威が増す。

POINT 1

腰を回しながら深く沈め
利き腕側の足にタメを作る

　利き腕と反対側の足を半歩前に出し、腰を回しながら上体をひねってバックスイングをとる。このとき、利き腕側の足に重心をかけ、しっかりタメを作るとスイングに勢いが出る。腰は台の下に隠れるぐらい深く沈めることが理想だ。

POINT 2

重心を体の中心に移動させて
ラケットを振り上げる

　ひねった腰を正面に戻しながらスイングする。利き腕側の足にある重心を体の中心に移動させるとともに、低い位置から勢いよくラケットを振り上げる。ヒザを伸ばし切ると目線がずれやすくなるので、腰の位置は極端に上げないこと。

POINT 3

体全体を使ったスイングで
ボールをこすり上げる

　ラケットの面をややかぶせ気味にして、ボールを下からこすり上げるようにインパクトする。この動作により、前進回転（ドライブ）がかかる。腕だけではなく、体全体を使ったスイングを意識すると、ボールへの回転力や球威が増す。

+1 アドバイス

ナックルドライブで
相手を惑わせる

　やや難易度が高いテクニックとして、スイングのスピードは落とさずに、あえて回転を加えない「ナックルドライブ」もある。ラケットの手首近くや面の下の方に当てた瞬間にラケットを返してスイングする。相手は通常のドライブと見分けがつきにくい。

ドライブ(フォア)の前陣、中陣、後陣の打ち分け
台から離れるほど大きなスイングで打つ

前陣

前陣は台から約1m以内の位置でプレーする

上体をひねってバックスイング。重心は利き腕側の足に乗せる

重心を体の中心に移動させながらラケットを振り上げる

ボールを下からこすり上げるようにインパクト

中陣

中陣は台から1～2m離れてプレーする

前陣よりも腰を深く沈め、利き腕側の足にタメを作る

大きなバックスイングからスイングを開始する

体全体を使ったスイングを意識する

フリーハンドを効果的に使い、ダイナミックに振り抜く

ゲームではラリーの展開によって、ドライブを前陣から、あるいは中陣や後陣から打つ場面が出てくる。基本的なフォームはどれも同じだが、前陣よりも中陣、中陣よりも後陣と、台から離れるほどスイングの振りを大きくしたい。フリーハンド（利き手とは逆の腕）を効果的に使い、ダイナミックに振り抜こう。

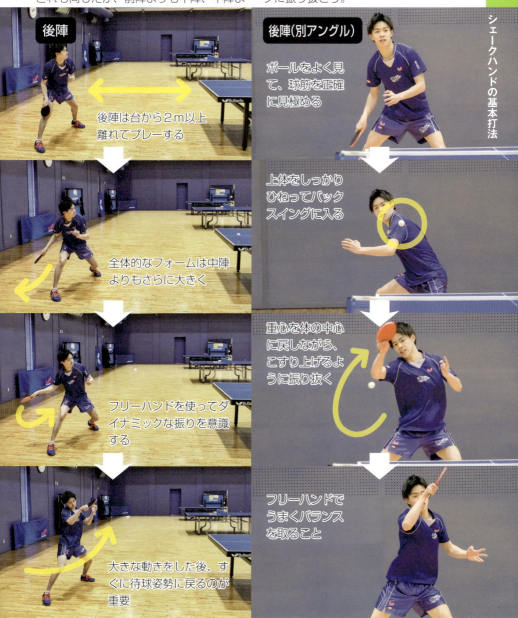

後陣

後陣は台から2m以上離れてプレーする

全体的なフォームは中陣よりもさらに大きく

フリーハンドを使ってダイナミックな振りを意識する

大きな動きをした後、すぐに待球姿勢に戻るのが重要

後陣（別アングル）

ボールをよく見て、球筋を正確に見極める

上体をしっかりひねってバックスイングに入る

重心を体の中心に戻しながら、こすり上げるように振り抜く

フリーハンドでうまくバランスを取ること

35

シェークで打つ基本的なバックハンド
ヒジを起点にしてラケットを押し出す

ラケット面はフォアと逆側を使い、ほぼバックスイングをとらすミート中心のショットを心がける

頂点前のボールを体の正面でインパクトする

　バックハンドのストロークは、利き腕と反対側に来たボールを打つ打法。シェークハンドではフォアハンドとは逆側の面を使う。相手の動きとボールをよく見て待球姿勢を作り、バックスイングはフォアハンドのように大きくとれないため、体の前でコンパクトにとる。

　バウンドしたボールが頂点に達する少し前に狙いを定め、体の正面でインパクト。ヒジを起点にラケットを前に押し出す。なお、相手の強打に対して、バックスイングをとらずにラケットに当てるだけで返す打法もある。これをショート（ブロック）という。

POINT 1

腹を引っ込めるように
コンパクトにバックスイング

　肩幅よりもやや広げた両足をボールに対して平行に置くのが基本。打ちにくさを感じるようであれば利き手側の足を少し下げるとよい。重心を体の中心に置いたまま、バックスイングはお腹を引っ込めるようにコンパクトにとる。

POINT 2

ラケットの面は倒さずに
ボールが頂点に来る前を狙う

　ラケットの面は倒さず、相手に向けるように手首で固定する。両ワキは少し空けておくとリラックスでき、動きやすさも増す。ボールが頂点に達する少し前を狙ってインパクト。タイミングを合わせて体の正面でボールをとらえる。

POINT 3

ラケットを前に押し出して
フォロースルー

　ヒジを起点にラケットを前に押し出す。腕を伸ばすと同時に腰を浮かせるイメージだ。シェークハンドは手首の可動域が広いが、ここではしっかり固定しておく。手首をこねるとラケット面の向きが変わり、安定した打球にならない。

+1 アドバイス

バックスイングはとらずに
ラケットに当てるだけで返す

　相手の強打をラケットに当てるだけで返球するショートは、守備的な場面で生きる技術。カウンター気味に返球すると、チャンスが生まれやすい。やや前傾姿勢になり、ヒジは直角になるくらい曲げて、インパクトの瞬間にしっかり面を作るだけでいい。

シェークのバックドライブ
ヒジを支点にラケットで弧を描くようにスイングする

小さいバックスイングからインパクトはボールの頂点よりやや前を狙い、ドライブ回転をかける

シェークハンドの特徴を生かして強いドライブをかける

　フォアハンドのドライブと同様、バックハンドのドライブも強く前進回転をかけることで、攻撃の軸となりうる。しかも、体の構造上、片面だけを使うペンホルダーでは、非常に打ちにくいショットなので、ここでシェークハンドを使うことの優位性が出てくる。

　基本的な動きはストロークと同じだが、強く回転をかけるため、ラケットの打球面を下に向けながら、バックスイングでは利き腕側の肩を少し前に出すようにして体をひねる。ヒジを支点にラケットで弧を描くようなイメージでスイング開始。スイング自体はやや大きくなる。

POINT 1

ヒジから先を使い
小さく引いてバックスイング

　両足を肩幅より広めに開き、ボールに対して平行に構える。打ちづらい場合は利き腕と反対の足を半歩前に出してもよい。体の正面で持ったラケットをやや伏せ、ヒジから先を使い、後ろに引いて小さくバックスイングをとる。

POINT 2

ボールの少し上をこするように
インパクトする

　インパクトはボールの頂点よりやや前を狙う。体の正面でとらえ、ボールの少し上をこするように打って回転をかける。ボールが頂点を過ぎたところをインパクトすると、スピードは落ちるが回転量は増えるメリットもある。

POINT 3

手首のスナップと
スイングの遠心力を生かす

　バックハンドはバックスイングやスイングを大きくとることが難しい。そこで、スイングの遠心力を生かしながら、手首のスナップを利かせてボールに回転をかける。バックスイングからインパクトまでを体の正面で行う。

プラス ワン アドバイス +1

バックハンドドライブが
打ちやすいシェークハンド

　決定打に導くことができるバックハンドドライブは、面を作るために手首を大きくひねる必要があるペンホルダーに比べ、シェークハンドの方が打ちやすい。バックからの攻撃を苦手とする選手は多いため、有効なショットだ。

ドライブ（バック）の前陣、中陣、後陣の打ち分け
ふところに呼び込んでから振り抜く

前陣

前陣は台から約1m以内の位置でプレーする

体の正面で、ヒジから先を使って小さくバックスイング

ボールの少し上をこするようにインパクトする

バックスイングまでを体の正面で完結させる

中陣

中陣は台から1〜2m離れてプレーする

前陣よりも腰をやや深く沈め、ボールの軌道を見極める

ボールをふところに呼び込んで、ラケットを振り上げる

手首のスナップを利かせてボールに回転をかける

後陣ではラケットを大きく引いてからスイング

フォアハンドのドライブと同様、バックハンドのドライブも台に近い位置や離れた位置から打つことになる。台から離れるほど大きなスイングを意識しよう。前陣のドライブではバックスイングからインパクトまでが体の正面で完結するが、後陣ではラケットをフリーハンドの側に引いてからスイングする。

後陣

後陣は台から2m以上離れてプレーする

利き腕側の足を踏み込んで、ボールを呼び込む

フリーハンドの下あたりにバックスイングをとる

両腕を広げるようなイメージでラケットを振り抜く

後陣（別アングル）

利き腕側の肩を入れるようにラケットを引く

フリーハンドでバランスをとり、しっかりタメを作る

スイングの遠心力を生かしてドライブ回転をかける

インパクト後は両腕が広がっているとよい

シェークハンドからのスマッシュ
高い打点から叩き込み決定打にする

腕だけで振らずに体全体でダイナミックに打つ

　高く上がってきたチャンスボールを高い打点から振り抜き、決定打となるスマッシュ。腕だけで振ろうとせず、全身を使ってダイナミックに打つことがポイントだ。ミスをすると精神的なダメージも大きいが、打つと決めたら思い切って繰り出す。

　利き腕側に重心を乗せながら腰をひねり、バックスイングは大きくとる。その反動を利用して上体を正面に向けつつ、スイング開始。同時に重心をもう一方の足に移動させていく。腕は伸び切らないように意識し、高い打点から叩きつけてインパクトする。

後ろ足に重心を乗せて
ラケットを後方に大きく引く

　ラケットを後方に大きく引き、フリーハンドでバランスをとりながら、利き腕側の後ろ足に重心を乗せる。チャンスボールが来ると思わず力んでミスをしやすくなるが、ボールをよく見ながら落ち着いて構えを作っておこう。

一番力が入るポイントで
インパクトする

　利き腕とは逆側の前足に重心を移動させながら、スイングを開始する。一番力が入るポイントでインパクトするのが基本。肩よりも高い打点で、全体重を乗せるようなイメージで躊躇せずにラケットを振り抜く。

フリーハンドをうまく使い
腰の回転力を速めて打つ

　インパクト時にヒジを伸ばし切らないように注意。フリーハンドをうまく使うと、腰の回転力を速め、威力のある打球を生み出せる。打ち終わった後に上体を極端に倒すと安定感が出ないので、最後まで打球から目を離さない。

プラスワン アドバイス +1

回り込んで
スマッシュを打つ

　スマッシュを打てるようなチャンスボールは、回り込んでフォアハンドで打つのが一般的だが、腕だけのスイングにならないように注意する。シェークハンドであればバックハンドのスマッシュも可能。

横回転

　P26 では、上回転および下回転のボールの変化やその対応の仕方を確認したが、回転には横回転もある。相手が右横回転と左横回転をかけてきたとき、ボールはどんな軌道を描き、バウンド後にどんな変化をするか。また、どのように対応すればよいかを理解しておこう。

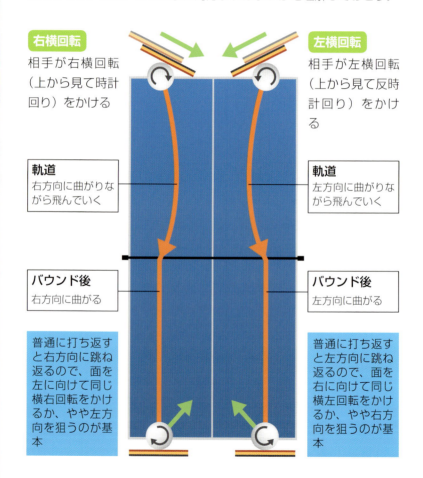

右横回転
相手が右横回転（上から見て時計回り）をかける

左横回転
相手が左横回転（上から見て反時計回り）をかける

軌道
右方向に曲がりながら飛んでいく

軌道
左方向に曲がりながら飛んでいく

バウンド後
右方向に曲がる

バウンド後
左方向に曲がる

普通に打ち返すと右方向に跳ね返るので、面を左に向けて同じ横右回転をかけるか、やや左方向を狙うのが基本

普通に打ち返すと左方向に跳ね返るので、面を右に向けて同じ横左回転をかけるか、やや右方向を狙うのが基本

PART 3

シェークハンドの
台上技術

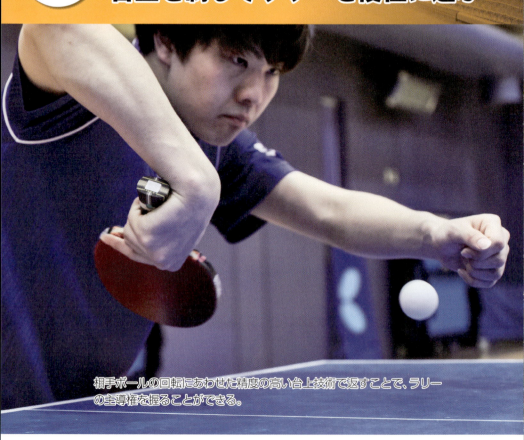

コツ 16

シェークハンドの台上技術
台上を制してラリーを優位に運ぶ

相手ボールの回転にあわせた精度の高い台上技術で返すことで、ラリーの主導権を握ることができる。

レシーブや３球目攻撃で使い、ラリーに勝つ

　卓球ではドライブなどを使ったダイナミックなラリーや豪快なスマッシュが注目されがちだが、そこに至るまでの短い打球でいかに優位に立てるかが重要だ。台の上で短いボールを処理する技術を「台上技術」などと呼ぶ。

　基本的な台上技術として、ツッツキや

フリック、ストップの他、やや難易度が高いものの、近年は取り入れる選手が多くなったチキータなどがある。いずれも相手の回転によって打ち方が変わる。主にレシーブや３球目攻撃で使うが、攻撃の第一歩となるケースも多いのでしっかりと身につけよう。

POINT 1 ツッツキ

突っつくように打ち
下回転で確実に返球する

　ツッツキはラケット面をやや上に向けて突っつくように打ち、下回転で返す。打ちたい方向にラケットを押し出すのがポイント。実戦ではツッツキ対ツッツキのラリーになることがあり、ミスせずに続けられる安定感が欠かせない。

POINT 2 フリック

コンパクトに弾き
前進回転で攻撃を繰り出す

　フリックは前進回転をかけて返球するテクニック。ドライブのような豪快な振りにはならないが、コンパクトに弾くことで強い打球も可能だ。台上技術の中では攻撃的で、チャンスメークができるのはもちろん、高い得点能力も備える。

POINT 3 ストップ

繊細なラケット操作で
ネット際に短く落とす

　ストップはネット際に落とすことで、相手を前後に揺さぶったり、強打を封じ込めたりする。相手コートの中で2バウンド以上するぐらい、打球の勢いを殺せるのが理想。甘くなると一気にピンチが訪れるので注意が必要だ。

+1 アドバイス

強烈な横上回転をかける
バックハンドの台上ドライブ

　チキータはシェークハンドの選手（一部、中国式ペンハンドも）が使い、トップ選手の間では主戦武器になりつつある。バックハンドフリックの変則的な打法だ。強烈な横上回転をかけてインパクトする。レベルアップのためには必須のテクニックだ。

ボールの下部を切るように押し出す

小さめのバックスイングからボールの下部を切り、ラケットを押し出して止める

相手のショートサービスや短い返球に対して有効な打法

　ショートサービスや相手からの短い返球に対して有効なツッツキ。基本的には相手のボールに下回転がかかっているとき、ラケット面をやや上に向け、突っつくように打つ。下回転に対しては普通に打つと下に落ちてしまうので、同じように下回転で返すことがポイントだ。

　重心を利き手側の足に乗せ、小さめのバックスイングからボールの下部を切るようにラケットを打ちたい方向に押し出す。フォロースルーは大きくとらず、自然に止める。回転が甘かったり、バウンドが高いと相手に攻め込まれるので、できるだけ低い弾道で返球する。

ボールの回転を見極めて バックスイングは小さく

　両足を肩幅くらいに広げて構え、重心は利き手と逆側の足に乗せながら、利き手側の足を一歩前に踏み出す。ボールの回転をよく見ながら小さくバックスイングをとる。体にボールを寄せながら、インパクトの準備に入る。

バックスイングで手首の力を抜いて ボールの下部を切るように

　ボールの下部を切るようなイメージでスイングし、インパクトの瞬間は指を握るイメージ。相手に簡単に返球されないように、低い弾道で打ち返すのが理想。相手のボールが下回転ならラケットを寝かせ、上回転ならラケットを立てる。

フォロースルーから自然に ラケットの動きを止める

　ツッツキは横方向にスイングするのはNG で、あくまでも打ちたい方向に押し出すことを意識する。フォロースルーもあまりとらず、腕を伸ばしたところでラケットの動きを止める。一連の動作をコンパクトに行うのがポイント。

プラス ワン +1 アドバイス

相手のバック側にもツッツキ 相手を左右に振っていく

　ペンホルダーよりも手首を柔軟に動かせるシェークハンドでは、クロスやセンターに来たボールをストレートやバッククロス（相手のバック側）に返球することもそう難しくない。低い弾道とともに、コースを打ち分けて相手を左右に振っていきたい。

横回転（左）

クロスを狙いたいときはボールの外側をインパクト

回転をよく見ながら体をボールに寄せていく

打ちたい方向に向かってラケットを押し出す

横回転（右）

バック側を狙う場合はラケットの面を開いておく

利き腕側の足を一歩踏み出しながらボールに寄る

ラケットを押し出し、腕が伸びたあたりで止める

ラケット面の角度を調整して鋭いコースを突く

ツッツキは下回転のボールを下回転で返すのが基本だが、シェークハンドであれば横回転のボールでも左右のコースを鋭く突くことができる。手首を柔軟に動かし、打ちたい方向に面を向けてボールを押し出す。相手のボールの回転に負けないようにうまくコントロールしよう。

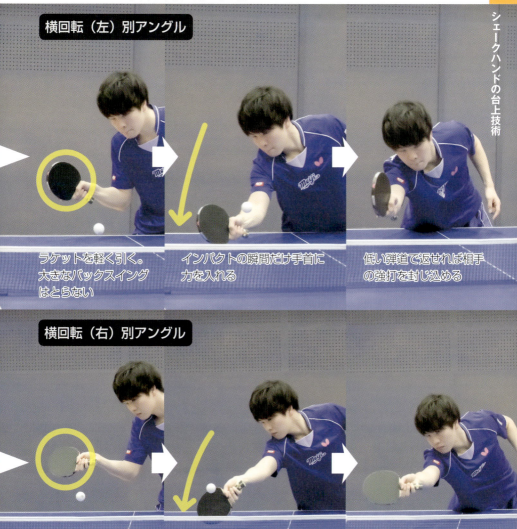

横回転（左）別アングル

ラケットを軽く引く。大きなバックスイングはとらない

インパクトの瞬間だけ手首に力を入れる

低い弾道で返せれば相手の強打を封じ込める

横回転（右）別アングル

球種をしっかり見極めてボールを迎える

バッククロスを突くときはボールの内側をインパクトする

相手のボールの回転に負けないようにしっかり押し出す

シェークハンドのツッツキ（バック）
体をボールに寄せてヒジを伸ばして打つ

体をボールにしっかり寄せ、ヒジを伸ばしてラケットを押し出すようにインパクトする

ボールに体を近づけることで安定性がアップする

　バックハンドのツッツキもフォアハンドと同様、基本的には下回転のかかったボールに対して下回転で返球するテクニック。体の正面でボールを捉え、打点が顔から近いので、フォアより安定感の得られやすさがあるかもしれない。タイミングが計りやすい点もメリットだ。

　相手のボールの回転をすばやく見極め、小さなバックスイングから足を踏み込む。体をボールに寄せ、ヒジを伸ばして、やや上に向けたラケットを押し出すようにインパクト。体全体の力を使ってボールを相手コートに押し込むようなイメージで返球する。

POINT 1

コントロールを重視し
バックスイングは小さめに

　相手のボールの質をよく見極め、すばやくボールの正面に入る。バックハンドのツッツキはコントロール重視が基本になるため、バックスイングは体の前で小さめにとる。短いボールは、利き手側の足を一歩踏み込んで対応するとよい。

POINT 2

ボールの下部を
こするようにして押し出す

　体をボールに寄せて、ヒジを前に伸ばしてインパクトする。ラケットのバック面をやや上に向け、ボールの下部をこするようにして押し出すと下回転がかかる。ラケットの角度は、相手のボールの高さや回転量に合わせて変化させる。

POINT 3

腕が伸びたところで
ラケットの動きを止める

　腕が伸び切ったところでラケットをピタッと止める。これによりボールに鋭い下回転がかかる上、ツッツキ自体の安定感が増す。このとき、腕だけで打とうとせず、ヒザを柔らかく使って下半身と連動した動きを心がけよう。

プラスワン アドバイス +1

相手にストップと思わせ
攻撃的なツッツキを繰り出す

　ヒジを少し曲げた状態でボールに寄っていくと、相手は「ネット際に短く落とすストップをしてくるだろう」と判断する。そこで腕を前に伸ばせば攻撃的なツッツキになる。このフェイントをかけられるようになれば、相手を前で詰まらせることができる。

シェークハンドの横回転ツッツキ（逆チキータ）
ボールに対してグリップを立てて面を作る

ヒジを高く上げながら、バック面でボールの外側（右側）をこすり上げる

ヒジを高く上げながら、バック面でボールの外側（右側）をこすり上げる

バックハンドのツッツキを横回転で打つテクニックは、「逆チキータ」とも呼ばれる。右利きの打球は左回転（反時計回り）がかかり、左方向に曲がる軌道を描く。通常のツッツキでは、やや上方向に向けていたバック面を、グリップを立てるように斜めに作るのがポイントだ。

体の前で小さめにバックスイングをとり、ヒジを高く上げながら、バック面でボールの外側（右側）をこすり上げる。難易度が高く使用する選手も少ないため、取り慣れていない選手が多い。マスターできれば、レシーブエースを奪ったり、相手のミスを期待できる。

バックスイングとともに
ボールを手前に引きつける

通常のバックハンドのツッツキと同様、球種を正しく判断し、ボールの正面にすばやく入る。体の前で小さくバックスイングをとり、ボールをお腹の方まで引きつけることで、相手はどのコースに打ってくるのか読みづらくなる。

バック面でボールの外側を
こすり上げるように押し出す

ヒジを高く上げながらラケットのグリップ側を立て、バック面でボールの外側（右側）をこすり上げるように押し出す。ボールをラケットに強く当ててしまうと、回転が効果的にかからないので、うすくこする感覚を身につけたい。

左回転がかかったボールは
左方向に曲がる軌道を描く

右利きのプレイヤーが打つと、打球は左回転（反時計回り）がかかり、左方向に曲がる軌道を描く。バックサイドから打たれたボールをうまく横回転でツッツキ、逆方向に流すことができれば相手を左右に振ることができる。

プラスワン +1 アドバイス

スピード重視の打ち方は
エースを狙える威力がある

バックハンドの横回転ツッツキには、ボールのスピードを重視する打ち方と、それほど飛ばさずに回転を重視する打ち方の2通りがある。ボールをラケットでどうとらえるかで変わってくるが、スピード重視は難しい反面、そのままエースを狙える威力がある。

シェークハンドのフリック（フォア）
ボールを払うようにしてコンパクトに弾く

ボールの頂点前を狙いラケット面を
ややかぶせ気味にして、ナナメ上に
振り払う

台上からの攻撃的なショットで主導権を握る

　相手のショートサービスや短いボールに対し、台上で前進回転をかけて返球するフリック。ツッツキに比べると攻撃的で、ラリーの主導権を握りやすい打法だ。ツッツキやストップと併用すると、攻撃の幅を広げることができる。

　ボールの着地点を見定めたら、上半身をボールに寄せ、少しナナメ上にバックスイングをとる。スイングは小さめに、ボールの頂点前を狙ってインパクト。ラケット面をややかぶせ気味にして、ナナメ上に振り払う。ドライブのようにダイナミックに振り抜くのではなく、コンパクトに弾くというイメージになる。

上体をボールに寄せていき
ラケットを体の横まで引く

　ボールの着地点をすばやく見定め、利き手側の足を踏み込みながら、上体をボールに寄せていく。バックスイングはラケットを体の横あたりまで引く。ヒジを軽く曲げ、適度にワキを空けておくと、力みのないスイングをしやすくなる。

面をかぶせ気味にして
振り払うようにインパクト

　向かってくるボールに対して、ラケットを直角に出すようにスイング開始。インパクトはボールが頂点に到達するやや前をとらえる。ラケットの角度はボールにややかぶせ気味にし、ナナメ上にすばやく振り払うことで前進回転がかかる。

フォロースルーは
ヒジから先を打ちたい方向

　台上テクニックなのでスイングはコンパクトに。ヒジから先を打ちたい方向に振り抜くようにフォロースルーをとると、フリック本来の攻撃力に加え、コントロールの精度も上がる。フォロースルーの後は、すぐに体勢を整える。

プラスワン +1 アドバイス

シェークハンドのフリックは
手首を固定したまま打つ

　ペンホルダーのフォアフリックは、ラケットの面を開いた状態でバックスイングをとり、インパクトの瞬間に手首を返す動作が必要だが、シェークハンドのフォアフリックはバックスイングからフォロースルーまで、手首を固定した方が安定しやすい。

下回転は垂直に、ナックルは押さえて打つ

対下回転のフリック

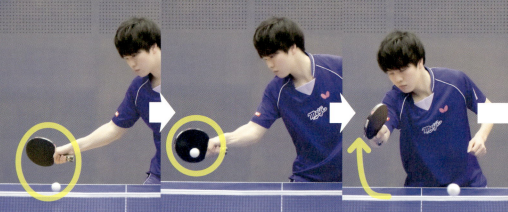

バックスイングはラケット
を体の横あたりまで引く

下回転のボールは面を垂直
に立ててインパクト

ヒジから先を打ちたい
方向に振り抜く

対ナックルのフリック

適度にワキを空けて
ラケットを引く

ナックルのボールは面をやや
下向きにしてインパクト

打ちたい方向に
フォロースルー

相手の回転を正しく見極めてから攻撃的に繰り出す

フォアハンドのフリックも相手が打つボールの回転によって、ラケットの面を微妙に変える必要がある。下回転（バックスピン）のボールに対しては、面を垂直に近い角度に立て、ナナメ上に振り払うようにスイングする。上回転や無回転のナックルに対しては、面をやや下向きにし、かぶせるように押さえて打つ。

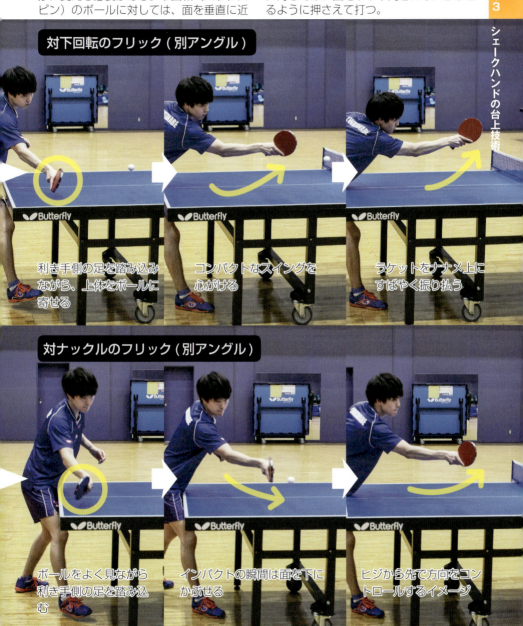

対下回転のフリック（別アングル）

利き手側の足を踏み込みながら、上体をボールに寄せる

コンパクトなスイングを心がける

ラケットをナナメ上にすばやく振り払う

対ナックルのフリック（別アングル）

ボールをよく見ながら利き手側の足を踏み込む

インパクトの瞬間は面を下にかぶせる

ヒジから先で方向をコントロールするイメージ

シェークハンドのフリック（バック）
ラケットを手前に引き、体の前でインパクトする

ボールが頂点に達するやや前でラケット面をややかぶせ、ボールを払うようにしてナナメ上に振り抜く

自分の打ちやすい形で足を踏み込む

バックハンドのフリックがフォアハンドと大きく違うのは、まず踏み込む足はどちらでも構わないという点だ。右利きの場合、右足を踏み込むと、待球姿勢に戻りやすくなり、左足を踏み込むと、体勢が安定する。自分が打ちやすいフォームを採用しよう。

インパクトは体の前で行うため、バックスイングはラケットを手前に引く。インパクトはボールが頂点に達するやや前で。面をややかぶせ、ボールを払うようにしてナナメ上に振り抜く。強い打球を打つには、腕や肩をリラックスさせ、インパクトの瞬間にだけ力を入れる。

POINT 1

ラケットを立てて構え
早めに待球姿勢を作る

　ラケットは体の前で、飛んでくるボールに対して直角に、また、台に対して垂直に立てて構える。早めに準備をしておくことで、ミスを犯すリスクを軽減できる。スタンスは、自分のやりやすい方で、どちらの足を前に出してもよい。

POINT 2

面をややかぶせながら
ボールを払うようにスイング

　打点はボールが頂点か頂点に達する少し前で。ラケットの面をややかぶせながら、ヒジを軸にボールを払うようにスイングする。腕や肩に力が入り過ぎると強い打球は打てないため、リラックスしてボールをインパクトしていこう。

POINT 3

ボールを押し出して
ラケット面を返していく

　ボールに当てるだけでは打球に威力が出ない。打ちたい方向にボールを押し出しながら、ラケットの面を返していくと、鋭く強い打球になる。インパクト付近のスイングスピードを速くすることで、相手の回転の影響を受けにくくなる。

プラス ワン +1 アドバイス

インパクト後に手首を返して
鋭いバックフリックを放つ

　シェークハンドはバックハンドを打つ際、「インパクト後に手首を返す」という動作が体の構造上、ペンホルダーに比べるとはるかにやりやすい。コンパクトかつ鋭い振りで、レシーブから主導権を握っていきたい。

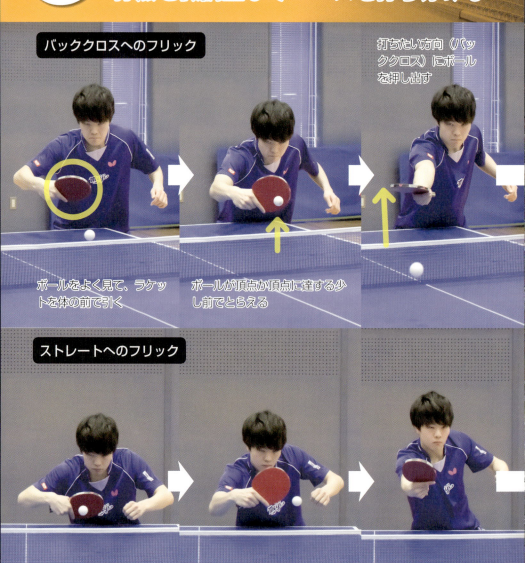

バッククロスへのフリック

打ちたい方向（バッククロス）にボールを押し出す

ボールをよく見て、ラケットを体の前で引く

ボールが頂点か頂点に達する少し前でとらえる

ストレートへのフリック

重心を低くして、目線をボールに近づける

バッククロスへ打つとき以上にボールを体に引きつける

打ちたい方向（ストレート）にヒジを伸ばす

バッククロスは前、ストレートは引きつけて打つ

フリックは相手のボールが下回転のときに繰り出すのが一般的。コースの打ち分けも習得して、プレーの幅を広げたい。バッククロスに返球するバックフリックは、通常通りに体の前でインパクトするが、ストレート方向に流す場合は、ボールをやや引きつけてから狙う方向にグリップを押し出すイメージだ。

バッククロスへのフリック（別アングル）

飛んでくるボールに対して直角にラケットを構える

インパクト時のスイングスピードをできるだけ速くする

面を返しながらヒジを伸ばし切る

ストレートへのフリック（別アングル）

利き腕側のワキを適度に空けておくと力みにくくなる

頂点か頂点に達する少し前でインパクトする

狙う方向にグリップを押し出すイメージ

PART3

シェークハンドの台上技術

63

ネット際に落として相手の強打を封じる

インパクトでは力を抜いた方が、相手コートのネット際にコトンロールしやすくなる

バウンド直後の低い位置でボールをとらえる

　ストップとは、相手のサービスや短いボールに対して、短く打ち返す台上テクニック。ネット際にボールを落とせれば、相手を前後に揺さぶられるだけでなく、強打を封じ込めることもできる。甘いボールになれば一気に攻められるため、繊細な感覚でラケットを操りたい。

　バックスイングはとらず、ヒザの屈伸を利用しながらバウンド直後の低い位置でボールをとらえる。インパクトはボールを打つというより、ボールにラケットを添えるようなイメージ。手首に力が入りすぎないようにすることで、相手コートのネット際に落とすことができる。

POINT 1

腰を落として重心を下げ
ラケットを上向きで構える

　ボールをよく見ながら台の近くまで体を寄せ、利き手側の足を台の下まで踏み込む。ボールを低い位置でとらえられるように、ヒザを曲げ腰を落として重心を下げておく。バックスイングはとらず、ラケットをやや上向きにして構える。

POINT 2

バウンド直後をとらえ
ネット際に小さく返球する

　ボールが頂点まで上がったところでインパクトすると、短く低い打球を返すことが難しくなるので、バウンド直後の低い位置でとらえる。インパクトはラケットの面をやや上向きにし、ボールにラケットを添えるように当てる。

POINT 3

相手の攻撃を想定し
すぐに元の位置に戻る

　甘い返球のストップは、すぐに相手のチャンスになってしまう。攻められることを想定し、すぐに元の位置に戻ることが重要だ。とくにストップは、体をネット近くまで寄せているため、戻るのにも時間がかかる。集中を切らさないこと。

プラス ワン アドバイス +1

ツッツキと併用すると
ストップの威力がアップする

　ストップのフォームはツッツキに近い。ややヒジを曲げて入ると、相手はストップを読むので一転して腕を伸ばせば、ツッツキにもなる。ストップと見せかけて相手をおびき寄せ、そこでツッツキを繰り出すことができれば、ストップの威力が増す。

横回転（左）のストップ

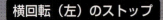

ボールの外側（右側）をとらえて横回転をかける

ボールをよく見ながら台の近くまで体を寄せる

ボールの外側（右側）をとらえて横回転をかける

横回転（右）のストップ

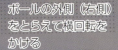

ラケットをやや上向きにしながらボールに近づく

ボールの内側（左側）をとらえて横回転をかける

グリップを握る力を緩めて、ボールの勢いを殺す

ボールの側面をとらえ、横回転をかけてストップさせる

ストップはラケット面をやや上向きにして、ボールの威力を吸収するようにインパクトする。このとき、手首を微妙にコントロールし、ボールの側面をとらえると横回転がかかり、ネット際のサイドに落とすことができる。相手からすると、より上体や腕を遠くに伸ばさないといけないので、やっかいに感じるはずだ。

横回転（左）のストップ（別アングル）

利き手側の足を台の下まで踏み込む

バウンド直後の低い位置でボールをとらえる

手首を少し折ることでフォア前に落とす（相手は右利き）

横回転（右）のストップ（別アングル）

インパクトする前に足を踏み込んでおくことが重要

できるだけ低い位置でボールをとらえる

手首を少し返すことでバック前に落とす（相手は右利き）

ラケットの振り幅を小さくして落とす

ボールに近づいてラケット上向きにし、打球点を早めに短いボールを出す

ツッツキと併用することで相手を惑わすことがきできる

　バックハンドのストップも、フォアハンドと同様、ネット際に短く返球するときに使う。フォームがツッツキと似ている部分もあるので、うまく併用すると相手を惑わすこともできるだろう。

　ヒザを柔らかく使ってボールに近づき、基本的にはややラケット上向きにし

て短く落とす。打球点を早くすることと、ラケットの振り幅を小さくすることが短く返球するコツ。相手のチャンスになる甘いボールは絶対に禁物だ。強い回転のボールに対しては、回転軸を外し、ボールの横面を打つことで回転を吸収するというやや高度なテクニックもある。

ヒジにゆとりを持たせて
台の上でボールをとらえる

　ボールをよく見ながら、体を台に寄せる。利き手側の足を台の下に踏み込むことでヒジにゆとりを持たせ、相手の打球の軌道上に乗ることができる。バックスイングはとらずに、台上でしっかりボールをとらえることがポイントになる。

腕全体の力を使って
ボールの勢いを打ち消す

　ストップはバックスイングやスイングを意識することよりも、相手のボールの回転を吸収することが重要だ。ヒザを柔らかく使って、ヒジは曲げたままボールの回転を吸収する。肩や腕全体の力を抜いて、ボールの勢いを打ち消す。

ラケットをボールに添え
ボールの勢いを殺す

　インパクトはバウンド直後を狙う。フォアハンドのストップと同様、バウンド直後の低い位置でボールをとらえる。ラケットで打ち返すというより、ボールに添えるように当てることで、ボールの回転を吸収し、飛びすぎを防ぐ。

他のショットと織り交ぜて
強打やフットワークを封じる

　ストップは、ドライブが得意な相手やフットワークが苦手なプレイヤーに対して有効な打法だ。もちろん、ストップばかりでは大きな効果は得られないが、他の技術とうまく織り交ぜることで、強打を封じたり、相手を前後に揺さぶったりできる。

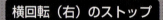

コツ +α

シェークハンドのストップ（バック）の横回転の打ち分け

ボールの側面をとらえてネット際のサイドを突く

横回転（右）のストップ

ラケットをやや上向きにしながらボールに近づく

ボールの内側（左側）をとらえて回転をかける

グリップを握る力を緩めると、ボールの勢いを抑えられる

横回転（左）のストップ

ボールをよく見ながら台の近くまで体を寄せる

ボールの外側（右側）をとらえて回転をかける

グリップを握る力を緩めると、ネット際に落とせる

繊細なタッチで２バウンドの打球を目指す

バックハンドのストップは、フォアハンドと同じようにボールの威力を吸収するように返球する。ボールの側面をとらえて横回転をかければ、ネット際のサイドに落とすことができるのも、フォアハンドのストップと同じだ。いずれにしても中途半端な打球では攻め込まれるので、繊細なタッチが求められる。

横回転（右）のストップ（別アングル）

インパクトする前に足を踏み込んでおく

バウンド直後の低い位置でボールをとらえる

手首を少し返すことでバック前に落とす（相手は右利き）

横回転（左）のストップ（別アングル）

利き手側の足を台の下まで踏み込む

低い位置でボールをとらえるのがポイント

手首を少し折ることでフォア前に落とす（相手は右利き）

シェークハンドのチキータ

手首を返してバック面で強い回転をかける

ヒジを上げて腕を外側に向かって回すようにスイング。
曲げていたヒジを伸ばして、腕を大きく振り上げる。

弧を描くような強いボールで相手に攻め込む

　チキータはバックハンドフリックの変則的な打法で、台上テクニックの中でも難易度が高い。ボールに強い回転をかけて返球するので、「バックハンドの台上ドライブ」とも言われる。弧を描くように相手のコートへ飛んでいく軌道が、バナナの「チキータ」のように曲がることがテクニック名の由来とされている。

　チキータが難しいのは手首の動かし方が複雑であるため。バックスイングのときはラケットのフォア面を上に向けているが、インパクトでは面を返してバック面を使う。手首だけでなく、ヒジを支点にして打つことが成功のポイントだ。

手首を内側にひねり ヒジの下にバックスイング

　ボールの着地点に体を寄せて、台の下に足を踏み込む。ヒジを上げ、ラケットのフォア面を上に向けて手首を内側にひねる。その手首をヒジの下に持ってくるようにバックスイング。ヒジは曲げた状態で少しずつ引き上げる。

腕を外側に向かって 回すようにスイングする

　ヒジを肩の位置ぐらいまで引き上げたら、腕を外側に向かって回すようにスイングする。曲げていたヒジを伸ばして、腕を大きく振り上げる。この動きからバック面でボールをとらえるのは、シェークハンドならではのテクニック。

バック面でボールの 左下をこすってインパクト

　手首を返すようにバック面でインパクトする。ボールの左下をこすり上げると、強い回転をかけることができる。ヒジの位置が下がってしまうとラケットの振りが小さくなり、回転がかかりにくい。ダイナミックな動きを意識しよう。

プラスワン アドバイス +1

レシーブの主流となった シェークならではの打法

　数ある台上テクニックの中でも、近年になって開発されたチキータ。積極的に攻めていける上、どの回転のサーブに対しても対応できる安定性もあるので、レシーブの主流になっている。シェークハンドの専売特許とも言える打法なので、身につけておきたい。

打点を変えてコースを打ち分ける

バッククロス

ヒジを上げ、フォア面を上に向けて手首を内側にひねる

ストレート

ひねった手首をヒジの下に持ってくる

手首を返すように体の前でインパクトする

ボールをより手前に引きつけてインパクト

伸びた腕とラケットを打ちたい方向に向ける

ストレート方向に腕を伸ばす

ストレートにはボールをより引きつけて打つ

チキータは手首を返すようにしてバック面で打つ、バックハンドならではのテクニック。バッククロス方向へは体の前でボールをとらえ、ストレート方向へは ボールをより引きつけるのがそれぞれのポイントになる。フォロースルーでは、伸びた腕とラケットが打ちたい方向に向いているのが理想だ。

PART
4

シェークハンドのサービス

シェークハンドのサービスの種類
的を絞らせないサービスで主導権を握る

フォア

バック

フォアとバック両方でサービスが出せると、相手の目先を変えるだけ
でなく多彩なサービスからの攻撃を仕掛けることができる

多彩なサービスを繰り出してラリーで優位に立つ

　サービスは自分主導で始められる唯一のプレーである。ただし、同じサービスばかりを出していると、相手も試合の中で徐々に慣れてくるので、いろいろなサービスを繰り出して相手の目先を変えるのが理想だ。ボールにかける回転やスピード、狙うコースを工夫したり、フォアやバックで打ち分けたりしながら、的を絞らせない意識を持とう。

　その際、同じモーションでサービスを出すと、相手を惑わす効果も期待できる。相手のレシーブが甘いボールになるようにサービスで主導権をつかみたい。

POINT 1

下回転や横回転を織り交ぜ
レシーブしづらくさせる

　サービスは、下回転（バックスピン）
か横回転をかけて打つ、あるいは回転を
かけないナックルが一般的。横回転には
右回りと左回りがあり、ラケット面を斜
めにこするように打つと、下回転の要素
も加わり、「横下回転」になる。

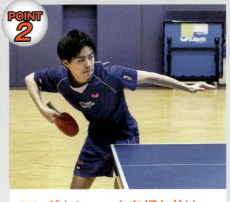

POINT 2

ロングとショートを打ち分け
相手の攻撃を封じる

　サービスの長さも工夫したい。おもに
相手コートのエンドラインいっぱいを狙
うロングサービスと、ネット際に落とし
て相手の強打を防ぐショートサービスと
に分けられる。自分のコートでの第1バ
ウンドの位置で打ち分けが可能だ。

POINT 3　下回転　ナックル

同じようなフォームから
異なるサービスを繰り出す

　サービスは回転のかけ方によって様々
な種類がある。できるだけ同じような
フォームで打てれば、相手に球種の判断
を迷わせることができる。同様の目的か
ら、インパクト後のフォロースルーでは、
いろいろな動作を入れることも効果的。

プラス ワン +1 アドバイス

フォアのサービスでは
グリップの握りを変える

　シェークハンドはペンよりも多種多
彩なサービスを打てる。ただし、フォ
アのサービスは、通常の持ち方では手
首の稼動範囲が狭くなり回転をかけづ
らい。親指で表ラバーを持ち、裏側を
人差し指で支え、ラケットを握り込む
ように持つと、回転をかけやすくなる。

足の長いサービスで相手の意表を突く

ショートサービスが主体だが、ロングサービスを織り交ぜていくことで相手にレシーブの的を絞らせないことが大事

自陣エンドラインに落としてロングサービスを出す

　ボールにかける回転と同様、毎回同じような長さのサービスでは相手も次第に慣れ、対応しやすくなる。ショートサービスを使う中で横回転や横下回転のロングサービスを織り交ぜ、相手レシーブの的を絞りにくくする。チキータが得意な相手ならば、ロングサービスの割合を増やす戦術も有効だ。

　サービスの長さは、インパクト直後のワンバウンド目を自分のコートのどこに落とすかで調整できる。自分の体から近い位置に第1バウンドを落とし、勢いのある低い弾道で出すと、スピードのあるロングサービスになる。

POINT 1

第1バウンドを体の近くで弾ませる

　スピードのあるロングサービスを打つには、自分の体から近い位置に第1バウンドを落とすことがポイント。勢いのある低い弾道で出すと、相手コートのエンドライン付近を突くことができる。チキータ封じとしても有効だ。

POINT 2

サイドスピンをかける横回転サービス

　右利きの横回転サービスは、ボールが時計回りに回転しながら右方向に飛んでいく。ヒジを高く引き上げ、できるだけ体の近くにラケットを引きつける。ラケットの先端を下に向け、ボールの内側（自分の体側）をこするように打つ。

POINT 3

横回転と下回転の特徴を持つ横下回転サービス

　右利きの横下回転サービスは、相手コートでのバウンド後、ややストップがかかりながら右方向へ曲がっていく。手首を返しながらラケットを外側に向けてスイングし、ボールの側面と真下の中間あたりをインパクトする。

プラス ワン +1 アドバイス

横回転　　下回転

できるだけ同じフォームで長短のサービスを打ち分ける

　トスを上げ、バックスイングからインパクトまではできるだけ同じフォームを意識し、相手にどんなサーブが来るのか、簡単に読まれないのが理想だ。第1バウンドを体の近くで落とせばロングサービスに、ネット近くに落とせば、ショートサービスになる。

フォアの下回転サービス
ボールを切るように底をうすくこする

フォア面を上にしてバックスイング
し、ラケットの先端あたりでボール
を下からこすり下回転をかける

相手のタイミングを崩して強いレシーブを封じる

　フォアハンドの下回転サービスは、相手のコートでバウンドしたときに、一瞬ボールを止まったように見せるのが狙い。これができれば、相手のタイミングを崩して、強いレシーブを封じることができる。数あるサービスの中でも、基本的な打法の一つに挙げられる。

　ラケットと台が水平になるように構え、ラケットの先端あたりでボールを下からこすると、下回転がかかる。スイング速度を速めることで、ボールの回転量を増やせる。高いレベルを目指すならば、インパクトのときだけ面を水平にすることと、低い打点で打つことを心がけたい。

フォア面を上に向けて バックスイングをとる

　トスを上げたらボールから目を離さず、バックスイングをとる。このときラケットに角度をつけてしまうと、うまくボールの真下をとらえられない。握りやすいグリップで握り、フォア面を上に向けてラケットを引いておく。

台と水平のままスイングし ボールの真下をとらえる

　ラケットのフォア面を上に向け、台と水平のままスイング開始。インパクトは、落下してきたボールの真下をうすくこするようにして下回転をかける。ラケットの先端あたり（面の上の方）でボールをとらえると、よく回転がかかる。

先入角度を低くして サービスを出す

　下回転はサービスの基本だが、サービスを出すときの先入角度は、できるだけ台に対して低い位置にすることがポイント。そうすることでボールの回転量が多くなり、キレのある安定したサービスが出せるようになる。

+1 アドバイス

相手コートで2バウンド以上 させる距離感が理想

　下回転サービスは、相手のコートで2バウンド以上させたい。そのためには、第1バウンドが手前すぎるのはよくない。最初のバウンドをどこに落とせば相手コートのどこに落ちるか、かつ、どの程度の力加減で打てば高く弾まないか。練習の中で確認しておく。

フォアのナックルサービス
ボールをこすらずに無回転で飛ばす

下回転サービスと同じバックスイングから、ラケットに少し角度をつけてボールをこすらずインパクトする

下回転サービスに見せかけ相手を惑わせる

　ナックルサービスは、下回転サービスのような動きから、ボールを切らずに手首を固定したまま押し出すことで回転をかけずに打つ。相手に下回転サービスと判断させるのが狙い。ストップかツッツキのレシーブをしてくれば、浮いた チャンスボールになる。

　下回転サービスと同じバックスイングから、水平の状態のラケットに少し角度をつけ、ボールをこすらず、当てるようにインパクトする。面の中心にボールを乗せるようなイメージで押し出すとよい。一連の動作をすばやく行うと、ナックルサービスと見破られにくくなる。

下回転サービスのように
バックスイングをとる

　トスを上げたら、ボールの落下をよく見ながらバックスイングをとる。下回転サービスと同じようにラケットのフォア面を上に向ける。ラケットと台が平行になるように構え、ヒジを支点にしてスイングの動作につなげていく。

ボールをこすらずに
押し出すようにインパクト

　水平状態にあるラケットに少し角度をつけて、ボールに当てるようにインパクトする。このとき、ラケットの中心にボールを乗せるようなイメージで押し出す。ラケットとボールの間に摩擦が起きると回転がかかるので注意したい。

インパクト後はフォア面を
上に向けておく

　相手にはボールに回転をかけたように見せかけるため、インパクトの後は、すばやく下回転サービスと同じようにフォロースルーをとる。フォロースルーを止めたり、振り切るなどモーションを変えると相手は分かりにくくなる。

プラス ワン +1 アドバイス

下回転サービスの
フォームから回転をかけない

　ナックルサービスは下回転サービスと併用するのが効果的。インパクトの局面だけが異なる。ただし、明らかにボールに当てるだけでは、すぐに見破られてしまう。できるだけラケットを振り、しかしボールには回転をかけないという打ち方をマスターしたい。

フォアの横回転（時計回り）サービス
ボールの内側をこするように打つ

フリーハンドの手のひらに乗せたボールを真上に投げ上げる

目で追いながらバックスイングをとる

ボールの内側をとらえ、体の正面でこするようにインパクト

POINT
1

グリップの握りを変えて
ラケットを立てて打つ

　シェークハンドのフォアのサービスは、グリップの握りを変えるのが一般的。親指で表ラバーを持ち、裏側を人差し指で支え、ラケットを握り込むように持つ。横回転サービスでは、さらにグリップエンドを上にラケットを立てて打つ。

グリップエンドを上に立ててインパクトする

ボールの横側を打って、サイドスピンをかける横回転サービス。ここでは、右利きの場合、ボールが時計回りに回転しながら右方向に飛んでいくサービスを紹介する。

ラケットの先端を下に向け、ボールの内側（自分の体側）をとらえてこするように打つのがポイント。相手のストップレシーブを封じるのに効果的だ。

ヒジを高く上げ、体の近くにラケットを引きつける

第1バウンドを落とす位置でサービスの長さを調節する

打球後は力を抜く

POINT
2

相手のストップレシーブを封じて3球目を優位に

横回転サービスは相手にストップをさせないことが目的。ストップがなければ、基本的には長いレシーブだけを待てばよくなり、3球目を優位に持ち込める。相手のストップの技量を見極め、横回転サービスを効果的に使っていこう。

フォアの逆横回転 (反時計回り) サービス
ボールの外側をこするように打つ

真上にトスを上げる

目を離さずにヒジを引きながらバックスイング

上半身を回転させてすばやくスイングを行う

POINT 1

ラケットを横向きに立ててインパクトする

　手首を内側に丸め、ラケットは横向きに面を立ててインパクトする。ボールの外側の真横をとらえて、こするように回転をかける。インパクトの後は、力を抜いて、いろいろな動作を入れてフォロースルーを工夫することで、相手を惑わす。

手首を内側に丸めて打つ難易度の高いサービス

横回転のサービスには、右利きの場合、ボールが反時計回りに回転しながら左方向に飛んでいくサービスもある。ボールの外側をこするように手首を内側に丸めてインパクトするのがポイント。右回転の横回転サービスよりも難易度は上がるが、サービスのバリエーションを増やすためにもマスターしておきたい。

手首を内側に丸め、ラケットは横向きに面を立ててインパクト

ボールの外側をとらえ、こするように回転をかける

打球後は力を抜く

POINT 2

上半身を回転させて すばやくスイングする

握りやすいグリップに調整し、ヒジを引きながらバックスイングをとる。ラケットはサイドラインと平行になるように構え、スイングは上半身を回転させてすばやく行う。意識的に体をボールの位置まで近づけるとスイングしやすくなる。

コツ 30

フォアの横下回転サービス

真下と真横の間をこすってインパクト

真上にトスを上げる

ボールをよく見ながら、ラケット面を上に向けてバックスイング

下回転をかけるようなイメージで振り出す

POINT 1

ヒジを高く引き上げてバックスイングをとる

　トスを上げたら両腕を大きく開き、体を左右に伸ばすようにしながらヒジを高く引き上げてバックスイングをとる。バックスイング自体は下回転サービスとほとんど同じだが、そこから下回転を切るようなイメージで振り出す。

88

横回転のスイング動作から下回転をかける

　横下回転サービスは、横回転と下回転の
それぞれの特徴を併せ持つサービス。右利
きの場合、相手のコートでバウンドした後
に、ややストップがかかりながら右方向へ
曲がっていく軌道になる。手首を返しなが
らラケットを外側に向けてスイングし、
ボールの側面と真下の中間あたりをインパ
クトする。

ボールの横下をこすっ
てインパクトする

フォロースルーでは力を抜く

すばやく待球姿勢を作る

POINT
2

ボールの横下をこすって切るようにインパクトする

　打点はボールの横下（内側の下あたり、
側面の方）を狙ってこする。インパクト
後は、ボールに横回転をかけたようなフォ
ロースルーをとることがポイント。低い
位置からサービスを出すと、強力な回転
をかけることができる。

フォアの逆横下回転サービス

高難易度の逆横下回転サービスでエースを狙う

右利きの場合、左足へ徐々に重心を移動させる

真上にトスを上げる

ラケットを上に向け、トスを上げると同時に腕を開く

POINT 1

ヒジを上げて空間を作り振りかぶるようにスイング

　右利きの場合、相手のコートでバウンド後に、ボールが減速しながら左方向へと軌道が変わっていく。逆横回転サービスと同様に、ヒジを高く引き上げて空間を作り、そこから大きく振りかぶるようにスイングにつなげる。

逆横回転サービスと併用して相手を惑わせる

逆横下回転サービスは、サービスエースを狙えるような難易度の高いテクニック。下回転と横回転をかけて、強いチキータやフリックを封じることができる。一連のフォームが逆横回転サービスとよく似ているため、相手を惑わせてレシーブミスを誘えるとよいだろう。勝負をかけたい場面で使うと効果的だ。

重心を完全に左足に乗せた状態でフィニッシュ

手首を折り曲げ、ボールの外側を斜め下にこすって打つ

ラケットとボールの接地時間を長くすると強い回転がかかる

POINT 2

ラケットとボールの接地を長くすると強い回転がかかる

インパクトは、水平にしたラケットの下部分で、手首を使ってボールの外側を斜め下にこする。このとき、フォア面の下の部分にボールを当てて、ラケットとボールの接地時間を長めにすると強い回転をかけることができる。

フォアの YG サービス
体の外側方向にスイングする

逆横下回転

トスを上げてヒジを張り出し、その下にラケットを入れ込む

ボールの外側の側面と真下の間あたりをインパクト

ボールはややストップ気味で反時計回りの回転がかかる

POINT 1

ヒジを上げてできた空間にラケットを入れ込む

　手首を使いやすくするため、ラケットの両面を親指と人差し指で挟むように持つ。バックスイングは、ヒジを上げてできた空間に、手首を曲げてラケットを入れ込む。ボールの外側の側面と真下の間あたりをインパクトすると逆横下回転がかかる。

逆横回転サービスのような反時計回りの軌道を描く

ヨーロッパの若い世代の選手が使い始めたことから、「YG（ヤングジェネレーション）サービス」と言われる。通常のフォアハンドのサービスとは逆で、右利きの場合、ラケットを左から右（体の外側方向）にスイングする。シェークハンドでは握りを変えることも不可欠。YGサーブには逆横下回転と逆横上回転がある。

逆横上回転

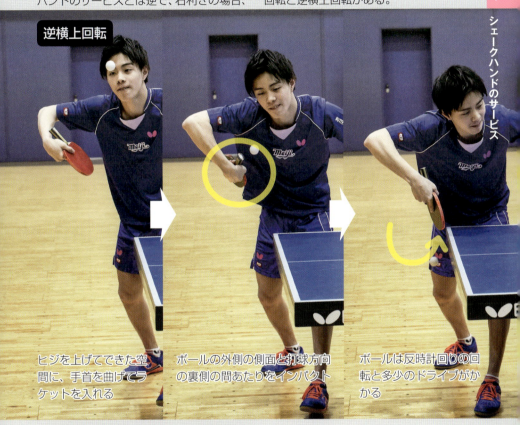

ヒジを上げてできた空間に、手首を曲げてラケットを入れる

ボールの外側の側面と打球方向の裏側の間あたりをインパクト

ボールは反時計回りの回転と多少のドライブがかかる

POINT
2

手首を柔らかくすると
回転をより強くかけられる

ボールの外側の側面と打球方向の裏側の間あたりをインパクトすると逆横上回転がかかる。YGサービスは手首の柔らかい選手にとくにオススメだが、日頃から手首のストレッチを取り入れることで、より回転の強いサービスを習得できる。

バックのサービスで相手の目先を変える

バックスイングからラケットを勢いよく
振り下ろし、ボール下をこするようにイ
ンパクトする

胸の位置までバックスイングをして勢いよく振り下ろす

　バックハンドのサービスは右利きの場合、ラケットを左から右にスライドさせて打つ。その下回転サービスは、バックスイングがとりづらく難易度が高まるが、使用する選手が少ない分、対応に慣れていない選手も多い。しっかりマスターし、ゲームで相手の目先を変えるた

めにタイミングよく使っていきたい。
　胸の位置までバックスイングをとったラケットを勢いよく振り下ろしてスイングし、ボールの下をこするようにインパクトする。このとき、ラケットのバックの面が上向きで水平になっていれば、ボールの下をとらえやすい。

POINT 1

上半身をひねり
ラケットを胸の位置まで引く

　構える位置はややバック寄りに立ち、両足を肩幅よりも広く開く。トスを上げたら、上半身をわずかにひねり、ラケットを胸の位置まで引いてバックスイングする。このとき、利き手の反対の腕は高めに上げてバランスをとっておく。

POINT 2

勢いよく振り下ろし
ボールの下をとらえる

　上半身を正面に向けながら、ラケットを勢いよく振り下ろす。インパクトではラケットを水平に、バックの面が上を向いた状態でボールの下をとらえてこする。立ててしまうと回転がかからないので、面の角度はきちんと意識したい。

POINT 3

インパクトをしたら
ラケットを低い位置で止める

　インパクトをしたらラケットを低い位置で止める。勢いのあるすばやいスイングをすると、強い下回転がかかる。わざと大きめのフォロースルーを入れることで、相手に回転の見極めをさせにくくするという方法もある。

プラス ワン アドバイス +1 アドバイス

バックハンドサービスは
コントロールしやすい

　試合で緊張すると、フォアハンドのサービスは微妙に長さの調節ができなかったり、狙ったところにコントロールできないケースがある。そんな場合は、動作自体は比較的簡単で、体の前で打つためにコントロールしやすいバックハンドサービスを使おう。

バックのナックルサービス

ボールをこすらずラケットに当てるようにインパクト

トスを体の前に上げ、ラケットは体の前で構えて待つ

ヒジを折り曲げて小さくバックスイングをとる

ラケット面の真ん中くらいにボールの側面をそのまま当てる

POINT 1

こすって回転をかけない面で当てるようなイメージ

バックハンドの下回転サービスのように打てると、相手の目先を変えることができる。重要なのは、ボールに対してラケット面で当てるようなイメージでインパクトすること。ボールをこすると回転がかかってしまうので注意したい。

下回転のように見せかけて相手を惑わす

バックハンドのナックルサービスはフォアハンドと同様、相手はレシーブで回転をかけたり、角度を決めてボールを抑えて返さなければならない。自分からラケット操作をコントロールしないとうまく返球できない難しさがある。フォームが似ている下回転サービスと織り交ぜて使うことで、より効果がアップする。

別アングル

トスはあまり高すぎない方が安定感は増す

お腹の前あたりでボールをとらえる

フォロースルーでボールを切ったように見せ、相手に下回転サーブと思わせる

POINT
2

フォロースルーでボールを切ったように見せる

インパクト直前までは、ほぼ下回転サービスと同じ動き。スイングスピードを変えないことが大事。インパクトしたら曲げていたヒジを伸ばしてラケットを振り切る。フォロースルーで、ボールを下から切ったように見せると、相手に下回転サービスと迷わせることができる。

コツ 35 バックの横下回転（反時計回り）サービス
ボールの外側と真下の間をインパクト

トスを上げるとともに、ラケットを利き腕と反対側に引く

ラケットを勢いよく振り下ろしてスイングする

ボールの外側と真下の間をこするようにインパクト

POINT 1

下回転サービスと同じように バックスイングをとる

　バックスイングは、バックハンドの下回転サービスと同じように上半身を回して、ラケットを高く振り上げる。上半身を正面に戻しながら、高く振り上げたラケットを勢いよく振り下ろしてスイングする。

98

ボールの外側と真下の間をインパクト

バックハンドの横回転サービスは、バックハンドの下回転サービスのフォームとよく似ているのが特徴。横回転サービスでは一連の流れで水平にしていたラケット面を、やや立ててボールの外側と真下の間をインパクトする。相手がバックサービスに苦手意識を持っていれば、攻撃パターンの一つとして使える。

別アングル

下回転サービスと同じようにとるバックスイングをとる

バック面を相手に向けながらヒジを支点に振り下ろす

インパクト後は力を抜く

POINT
2

ラケット面をやや立ててヒジを後方に引くように打つ

ヒジを後方に引き、徐々にラケットを横向きに立てて相手にバック面を見せる。インパクトはボールの外側と真下の間をこするように打つと、横下回転がかかる。インパクト後はラケットの動きを止めるイメージを持つことで鋭い回転がかかる。

ボールを下から上にこすり上げる

ボールを真上に投げ上げ、ヒジを支点にラケットを引く

高い打点から打つと高く弾んでしまうので、なるべく低い打点で

ボールをとらえる瞬間にラケットを下から上に引き上げる

POINT
1

ヒジを下から真上に引き上げ
ボールをうすくとらえる

　インパクトは、落下してくるボールに対して、ヒジを下から真上に引き上げるイメージでボールをうすくとらえるのがポイント。適度に力を緩めたグリップなら、手首を意識しなくともボールを鋭くこすり上げることができる。

ヒジを下から引き上げる感覚でボールをとらえる

バックハンドの横上回転サービスは、下回転サーブと同じようなフォームからボールをとらえる瞬間にラケットを下から上に引き上げることで横上回転になる。グリップを強く握らず、柔らかく握ることで、面の角度を調整しやすい。レシーブで強打されないためには、ネットすれすれにコントロールしたい。

別アングル

基本はバックサイドから相手のバックサイドを狙う

インパクトまでは下回転サーブと同じようなフォームで

ヒジを下から真上に引き上げ、ボールをうすくとらえる

POINT
2

バックサイドから相手のバックサイドに出す

バックの横上回転サービスは、バックサイドから相手のバックサイドに出すのが基本。状況によってはミドルからミドルやフォア前に出すのも有効だ。ただし、フォア前に出すときはネットより高すぎると強打されるので注意が必要。

しゃがみ込みサーブ（横下回転と横上回転）
しゃがみ込んで低い体勢から繰り出す

横下回転

体の前にトスを上げる

ボールをよく見ながらしゃがみ込む

ボールの右側をとらえ、同時にグリップを押し出すように下側もこする

打ち終わったら待球姿勢に戻る

しゃがみながら顔の近くでインパクトするサービス。現代卓球においては主流ではないが、それだけに意外性がある。シェークハンドでは両面を使って打てるため、両方向の横回転が可能だ。身長が低い選手が使用しやすい。

横上回転

ラケットを肩に乗せるようにバックスイング

ボールの右側をとらえ、同時にラケットの先端に当てて手首でかぶせるように上側もこする

PART
5

シェークハンドを生かした戦術を
マスターする

シェークの戦術を考える
攻撃的な戦術からポイントを奪う

サービスからの「3球目」で精度の高い決定打
に持ち込めるかがポイント

3球目攻撃や4球目攻撃で得点チャンスを作る

　得点パターンは、サービス側の「3球目攻撃」とレシーブ側の「4球目攻撃」が基本。ラリーが長くなるほどサービス側の優位性は薄れる。サービス側はいかにサーブ（1球目）で相手のレシーブ（2球目）を崩し、3球目で攻撃できるか。レシーブ側は相手のサービス（1球目）で崩されずにレシーブ（2球目）し、相手の返球（3球目）を甘くして4球目で攻撃できるかを考える。

　本書ではシェークハンドからの3球目と4球目の攻撃を各4パターン解説しているが、自分の得意なショットを組み合わせ、バリエーションを増やしていこう。

POINT 1

多彩なサービスで
3球目の攻撃チャンスを作る

　実力に大きな開きのない者同士の対戦ならば、サーブ権を持つ側が圧倒的に有利だ。球種を読まれないようなサービスで主導権を握り、相手のレシーブを甘くさせたところをドライブやスマッシュ、フリックなどで決定打としよう。

POINT 2

レシーブで相手の意表を突き
4球目攻撃の布石を打つ

　試合では相手のサービスをどう攻略するかが一つのポイント。サービスの球種をすばやく見極め、レシーブで意表を突いたり、相手の3球目を自分の得意なコースに打たせることができれば、4球目にチャンスが訪れる可能性が高まる。

POINT 3

チキータを積極的に使い
レシーブの不利を打開する

　シェークハンドであれば、レシーブで積極的にチキータを使いたい。習得はやや難しいものの、強烈な横回転がかかると相手のミスを誘いやすい。また、4球目はバック側に返球されることが多く、的を絞った攻撃がしやすくなる。

プラスワン +1 アドバイス

サービス時は2点を連取し
レシーブ時は1本に集中する

　卓球のシングルスでは、デュースまではサービスを互いに2本ずつ打つ。自分のサービス時は、できるだけ2点を連取する気持ちでいきたい。逆にレシーブ時は、相手サービスの2本中1本を取ればいいと考えておくと、必要以上の重圧を感じずに済む。

サービスからの攻撃①
相手のツッツキを回り込んで攻める

1

相手にどんなサービスを打つかわからないように構える。シェークハンドのフォアのサービスは、グリップの握りを変えるのが一般的。親指で表ラバーを持ち、裏側を人差し指で支え、ラケットを握り込むように持つ。

2

相手にツッツキのレシーブをさせるには、横回転系か下回転系のサービスを打つ。甘いサービスでは、レシーブから攻められてしまうので、できるだけ鋭く回転をかけた短いサービスにしたい。

3

狙い通りのサービスを打つことができれば、相手は厳しいツッツキを出せない。

3球目を豪快なドライブで振り抜いて決定打とする

横回転系か下回転系のショートサービスで、相手にツッツキのレシーブをさせ、ドライブで3球目攻撃を仕掛ける。時間的余裕があれば、バック側に来たボールでも回り込んで豪快に振り抜こう。ドライブはストレート、ミドル、クロスと3方向にしっかり打ち分けられるコントロールも身につけておきたい。

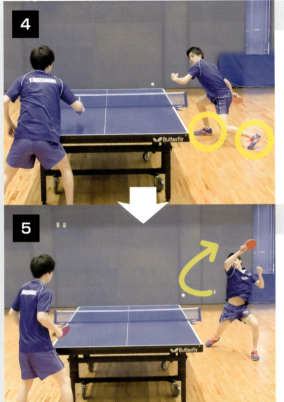

4

浮いてきたボールは、攻撃的な打法でウイニングショットとしよう。ドライブならば腰を低く下げてバックスイングをとり、腰のひねりを生かして、ボールを下からこすり上げるようにインパクトする。

5

十分な構えからクロス、ミドル、ストレートと3方向に打てるようにしておくと、攻撃の幅が広がる。コースを打ち分ける際も、できるだけ同じフォームで打てるように意識すること。

プラス ワン +1 アドバイス

ドライブはタメを作って相手にコースを絞らせない

ドライブで打つコースを相手に悟らせないためには、利き腕側の足にしっかり重心を乗せて、タメを作ることがポイント。これによって左肩が効果的に入り、相手はインパクトされてボールが飛んでくるまで、どのコースを突いてくるのか読みにくい。

サービスからの攻撃②
相手のストップを高い打点から叩く

1

相手にストップレシーブをさせたい場合、下回転かナックルサービスが効果的。ここでは相手のバック前にサービスを出して3球目攻撃を狙う。

2

下回転サービスは相手コートで2バウンド以上させる距離感が理想だ。うまくネット近くに落とせれば、相手はタイミングを崩し、強いレシーブは打てない上、ストップレシーブも甘く浮いたボールになりやすい。

3

ショートサービスを良い位置に落とすと、相手はネット近くに体を寄せなければならず、元の位置と待球姿勢に戻るまでに時間がかかる。

レシーブを浮かせてフリックで攻撃する

　バックサイドから相手のバック側へ下回転系かナックルサービスを出す。相手がストップを選択すると、レシーブはフォア側のネット際に落ちる可能性が高い。コースと質の良いサービスならば、相手は待球姿勢に戻るまでに時間がかかる。速いタイミングでフリックを放つことで、その時間的余裕を与えずに攻撃できる。

4

　相手が体勢を戻そうとする隙を突いて、フリックで仕留める。フリックはボールの頂点前を狙ってインパクトする。ラケットの面をややかぶせ気味にして、ナナメ上に振り払うようにコンパクトに弾くと打球しやすい。

5

　空いているコースに打っていくのが基本だが、相手の逆を突いたり、処理しにくい相手の体の中心（ミドル）を狙うのも有効。そのためにフリックでも、クロスやストレート、ミドルなどいろいろな方向に打ち分けられるようにしておく。

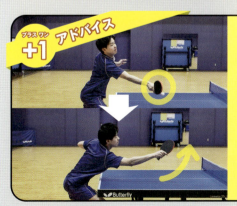

プラスワン **+1** アドバイス

ボールの頂点前を狙って相手に時間的余裕を与えない

　一見、ボールが頂点に達したところをインパクトした方が打ちやすく、ミスを犯すリスクも避けられるように思えるが、フリックでの3球目攻撃では、相手にレシーブ後の時間的余裕を与えないことを優先させる。電光石火のプレーで一気にポイントを奪おう。

109

サービスからの攻撃③
ツッツキをバックドライブで攻める

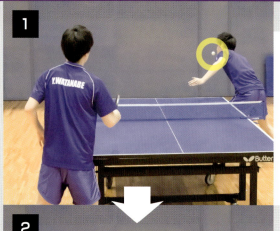

1

サービスは横回転と下回転の特徴を併せ持った横下回転でも効果的。手首を返しながらラケットを外側に向けてスイングし、ボールの側面と真下の中間あたりをインパクトする。

2

ここでは、相手コートのバック前に下回転のサービスを出す。しっかり回転をかけられれば、相手は強打をしにくい。

3

相手はツッツキのレシーブをしてくる可能性が高い。しかも右利きの場合のバックハンドのツッツキは、サービス側のバックサイドに来るのが一般的。ここまで想定通りならば、次の攻撃を組み立てやすい。

相手に主導権を握らせず、バックドライブで攻撃する

横回転系か下回転系のショートサービスを出す。相手がツッツキのレシーブでバックサイドを突いてきたところを、バックハンドのドライブで仕留める。速いタイミングで攻めるもよし、バックスイングで十分にタメを作って相手にコースを読ませないのもよし。着実に1点をもぎ取りたい。

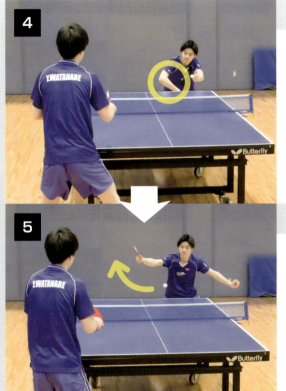

バックハンドで強烈なドライブを打てるのは、シェークハンドならでは。ペンホルダーでは相当に手首の柔軟性がないと不可能なテクニックだ。ラケットの打球面を下に向けながらバックスイングをとる。

インパクトはボールの頂点よりやや前を狙う。体の正面で、ボールの少し上をこするように打つ。ボールをより引きつけて、ストレート方向にも打てるのが望ましい。

プラスワン **+1 アドバイス**

打点を落としてインパクトし強烈な回転をかける

バックハンドのドライブは、頂点に到達するやや前でインパクトするのが基本だが、スピードは落ちるものの、回転量が増える打ち方もある。腰を落とした低い重心から、ボールが頂点を過ぎたところをインパクトことで、強烈な前進回転がかかる。

サービスからの攻撃④
相手ストップをチキータで3球目攻撃する

相手のレシーブをストップで打たせたいので、下回転系かナックルのサービスを打つ。下回転はボールの真下をうすくこするようにインパクト。ナックルは面の中心にボールを乗せるようなイメージで押し出す。

ストップレシーブをしてくる相手は、バウンド直後の低い位置でボールをとらえる。サーブ側も時間的余裕がないので、レシーブの質をすばやく見極めたい。

3球目をチキータで攻めると決断したら、ボールの着地点に体を寄せる。レシーブがフォア側に来た場合は、フットワークを駆使してすばやく右方向に移動する必要がある。

相手のストップをどこからでも攻撃できるようにする

フォア側に返球されたストップレシーブをチキータで決めに行く3球目攻撃。チキータを得意としていたり、フォアのフリックに自信がないプレイヤーには有効な戦術と言える。この攻撃を武器とできれば、相手のストップレシーブに対して、どこからでも攻撃力を発揮でき、ゲームの主導権も握ることができる。

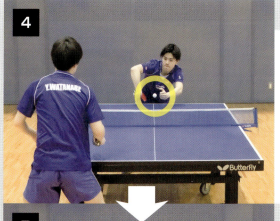

4

ヒジを上げながら、ラケットのフォア面を上に向けて手首を内側にひねる。十分にひねってタメを作ることで、相手はどのコースに打ってくるか読みにくい。

5

腕を外側に向かって回すようにスイングし、ボールの左下をこすり上げる。クロス(逆クロス)、ミドル、ストレートと、常に3方向以上打てるようなコントロールを磨いておく。

プラス ワン アドバイス +1

シェークハンドでは大きな武器になるチキータ

チキータは、腕を変則的に使わなくてはいけないため、初球レベルのプレイヤーにとっては習得がやや難しい。しかし、どんな回転のボールに対しても攻撃していける点からも、身につけてしまえば、これほど頼りになるテクニックはないと言える。

レシーブからの攻撃①
4球目で回り込み、ドライブを打ち込む

1

　相手がどんなサービスを打ってくるか、体やラケットの動きをしっかりと観察する。全身に力が入りすぎていると、すばやい反応ができない。適度にリラックスして構えておくのが望ましい。

2

　ストップレシーブは、バウンド直後の低い位置でボールをとらえ、相手コートのネット際に落とす。手首を微妙にコントロールし、ボールの側面をとらえると横回転をかけることができる。

3

　うまくストップレシーブを決められれば、相手は強打を打ち込めない。同じストップでつなぐか、バック側にツッツキで返球するのがせいぜいだろう。狙い通りに相手に打たせることができたら、攻撃に転じるチャンス到来だ。

レシーブでも受け身にならずに積極的に攻める

レシーブから積極的に攻める４球目攻撃のパターンを考えていく。相手のサービスをストップレシーブでつなぎ（２球目）、バックサイドにツッツキをしてきたボールを回り込んでフォアハンドのドライブで打ち込む。４球目に備えて、２球目を打ち終えたらすばやく元のポジションに戻り、待球姿勢を作っておく。

4

相手の返球に対して、スムーズに回り込んでフォアドライブの準備に入る。利き腕側の足に重心をかけ、腰を回しながら上体をひねってバックスイングをとる。

5

ラケットの面をややかぶせ気味にして、ボールを下からこすり上げるようにインパクト。ストレート、ミドル、逆クロスと３方向に打ち分けられるようにしておく。

プラス ワン +1 アドバイス

２球目のストップレシーブを浮かせずに沈める

４球目のドライブでポイントを挙げるには、２球目のストップレシーブが重要になる。浮かせたり、甘いコースに返球すると、相手に３球目攻撃のチャンスを与えてしまう。インパクトの瞬間にラケットを握る力を緩め、相手コートのネット際に落とすこと。

レシーブからの攻撃②
2球目のチキータで一気に主導権を握る

1

相手の体やラケットの動きをしっかりと観察する。どのサービスにも対応できる準備をしておくことはレシーブ時の鉄則。この時点では主導権はサービス側にある。

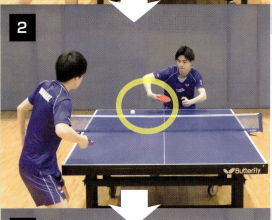

2

相手のサービスが甘いとき、あるいは3球目の準備に隙があるときは積極的に攻めていい。ここではチキータレシーブを選択。ヒジを上げ、ラケットのフォア面を上に向けて手首を内側にひねる。

3

曲げていたヒジを伸ばして、腕を大きく振り上げるようにスイングする。相手が台から近い前陣の位置にポジションをとっていたら、コーナーいっぱいを狙った深いボールが効果的だ。

チキータで押し込み、バックドライブで決めに行く

4球目攻撃における2球目のレシーブは、必ずしも「受け」や「つなぎ」と考えなくてもよい。相手に隙があると感じたら、積極的に攻撃し、一気にラリーの主導権を握ってしまおう。その際、攻撃的な台上テクニックとして、チキータやフリックが効果的。相手が3球目をつないできたところでとどめのショットを放つ。

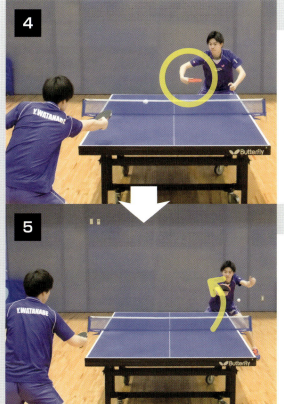

4

5

押し込まれた相手は、3球目で前陣のバックドライブやバックフリックなどでつなぐしかない。苦し紛れに打ってきたボールは見逃さずに、次の4球目でしっかり決め切りたい。

スイングの遠心力を生かしながら、手首のスナップを利かせて、バックドライブを放つ。空いているストレートを抜く。相手がそれを読んでいたら、逆を突いてバッククロスを狙っていく。

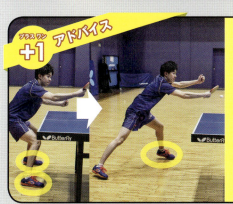

プラス ワン アドバイス +1

バックのフリックは
打ちやすいスタンスで

2球目の攻めでも、4球目の決定打としても使えるバックハンドのフリックは、踏み込む足はどちらでも構わない。右利きの場合、右足を踏み込むと、打球しやすくなり、左足を踏み込むと、体勢が安定する。自分が打ちやすいスタンスを採用しよう。

レシーブからの攻撃③
相手にストップをさせてフリックで決める

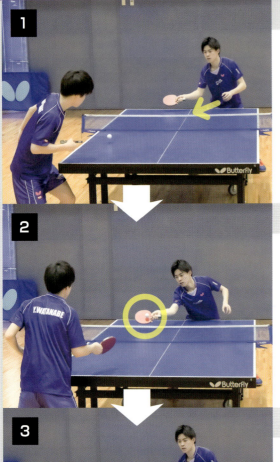

1

相手のサービスの回転やコースを素早く見極め、ここではストップレシーブをすると決断。すばやく体を台の近くまで寄せ、利き手側の足を台の下まで踏み込む。

2

ボールをバウンドした直後の低い位置でとらえ、ラケットの面をやや上向きにしながら、繊細なタッチでボールに当てる。

3

うまくネット際に落とせば、相手の3球目攻撃を封じられる。さらに相手にフォアかバックかの判断を迷わせた上で、フォアで打たせられれば、相手の体をバック側に寄せたまま、逆サイドに大きなオープンスペースができる。

相手をバック側に寄せて、空いたフォア側を突く

レシーブで相手をサイドに寄せ、次に空いた逆サイドに攻め込むのは、4球目攻撃の戦術の一つ。ここではストップレシーブで相手をバックサイドに釘づけにし、4球目でガラ空きのフォアサイドにフリックを決める。相手の3球目をフォアハンドで打たせることで、体をバック側に寄せる狙いが成功している。

4

相手が3球目をストップでつないできたら、すかさず空いたコースにフリックを打ち込む。上半身をボールに寄せ、スイングは小さめに、ボールの頂点前を狙ってインパクトする。

5

空いたコースを狙うのがセオリーではあるが、相手の動きを見て逆のコースを突くのも効果的。相手に、どのコースにも打てると思わせれば、その後のラリーでも精神的なアドバンテージを得られる。

＋1 アドバイス

横回転をかけたストップで相手をサイドに寄せる

ラケット面をやや上向きにし、ボールの威力を吸収するようにインパクトするストップは、横回転をかける打ち方もある。手首をうまく使って、ボールの側面をとらえると、ネット際のサイドに落とせる。相手をサイドに寄せたい場面で有効だ。

レシーブからの攻撃④
3球目バックドライブを回り込んで狙う

1

　すばやい反応をするために適度にリラックスして構え、相手の動きをよく見ておく。ツッツキでは、利き手側の足を一歩前に踏み出して体にボールを寄せながら、インパクトの準備に入る。

2

　小さめのバックスイングからボールの下部を切るようにスイングする。ここでは相手のバック側にツッツキを入れたいので、ラケットをバック方向に押し出す。

3

　相手にバックハンドのドライブを打たせる。速いボールが返ってくることを想定し、すぐに元のポジションに戻り、待球姿勢を作っておく。

相手のドライブにカウンターのドライブで対抗する

　カウンターとは、相手が強打で打ってきたボールを同じく強打で打ち返すテクニック。3球目攻撃でポイントを決めるつもりのプレイヤーは、3球目を振り抜いたときに一瞬、隙を作ることがある。そこを見逃さずに4球目で切り返す。速い打球を強打するのはやや難しいが、しっかりタイミングを合わせて処理する。

4

　うまくタイミングを合わせ、カウンター気味にドライブで切り返す。相手の力を利用するイメージを持てると、思い切り振り切らなくともしっかり面を合わせるだけで強い打球になる。

5

　バッククロス、ミドル、ストレートと3方向に打てるようにしておくと、攻撃の幅が広がる。コースを打ち分ける際も、できるだけ同じフォームで打てるように意識したい。

プラスワン +1 アドバイス

実戦でもよく使われる ツッツキからのドライブ

　ラリーが長くなれば、それだけ数多くの打法を駆使していく必要がある。なかでもツッツキでつないでドライブで攻めるという流れは、ゲームでもよく使われるパターン。それぞれ体の使い方が大きく異なるので、瞬時に体を動かせるようにしておく。

121

ショット精度を高める3点フットワーク
左右に動きながら正確に返球する

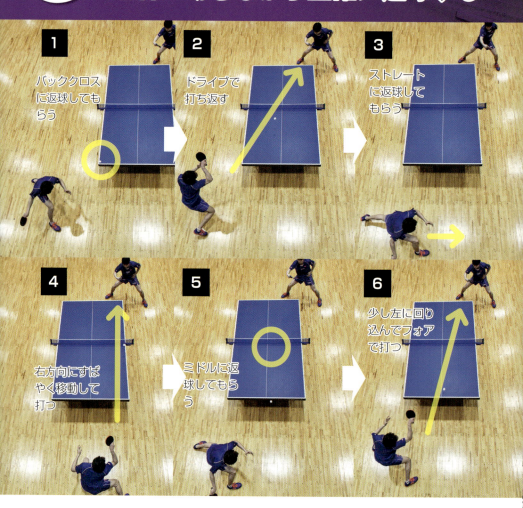

1 バッククロスに返球してもらう

2 ドライブで打ち返す

3 ストレートに返球してもらう

4 右方向にすばやく移動して打つ

5 ミドルに返球してもらう

6 少し左に回り込んでフォアで打つ

クロス、ストレート、ミドルに来たボールを打つ

ラリーでは同じ場所で打ち続けるという局面はまずない。左右に振られても安定したラリーができるようにフットワークを磨こう。1本目はバッククロス、2本目はストレート、3本目は自分の体付近のミドルに返球してもらい、それぞれドライブやフォアハンドで打ち返す。フットワークは反復横とびの要領で動く。

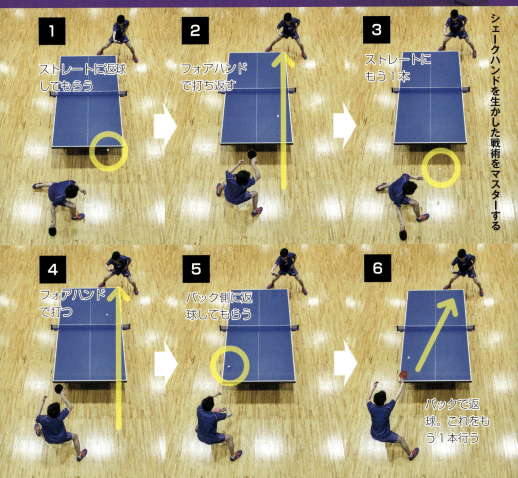

1 ストレートに返球してもらう

2 フォアハンドで打ち返す

3 ストレートにもう1本

4 フォアハンドで打つ

5 バック側に返球してもらう

6 バックで返球。これをもう1本行う

フォアハンドで2本打った後、バックハンドで2本打つ

　シェークハンドではフォアとバックは別々の面で打つ。ペンホルダーよりもリーチを生かせる反面、切り替えにやや時間がかかる。ここではフォア側に返球してもらったボールを2本連続で打ち、次にバック側に返球してもらったボールを2本連続で打つ。フォアからバックへのすばやい切り替えを意識する。

フットワークとすばやい切り替えを磨く

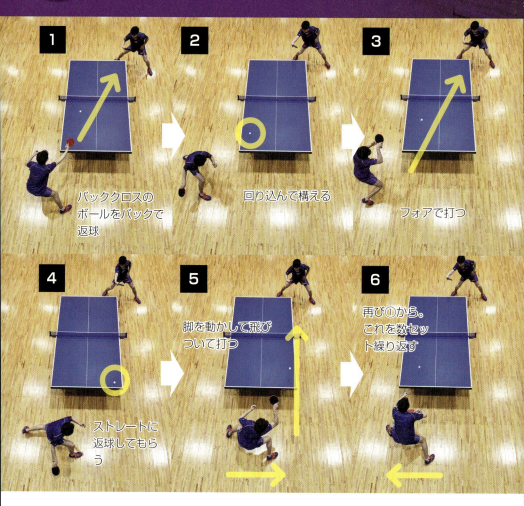

1 バッククロスの
ボールをバックで
返球

2 回り込んで構える

3 フォアで打つ

4 ストレートに
返球してもら
う

5 脚を動かして飛び
ついて打つ

6 再び①から。
これを数セッ
ト繰り返す

バック側で2本打ち、飛びついてフォアで返球する

　フォアとバックの切り替えとともに、左右のフットワークを磨く。バック側に2本返球してもらい、1本目はバックで、2本目は回り込んでフォアで返球する。

　3本目はストレートに出されたボールを飛びつくようにフォアで打つ。飛びつきのショットは腕だけで取りに行かずに、しっかりと脚を動かすのがポイントだ。

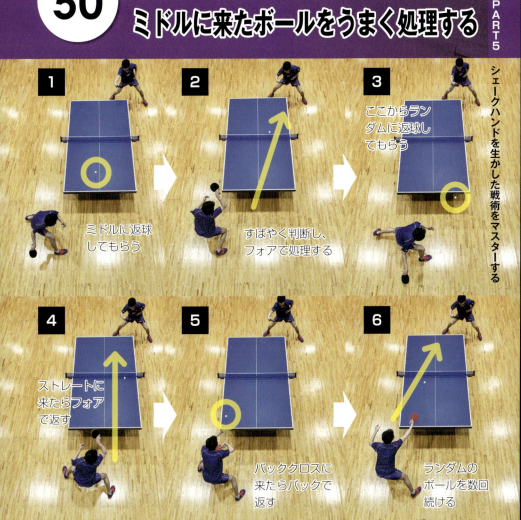

1 ミドルに返球してもらう

2 すばやく判断し、フォアで処理する

3 ここからランダムに返球してもらう

4 ストレートに来たらフォアで返す

5 バッククロスに来たらバックで返す

6 ランダムのボールを数回続ける

ミドルのボールを返球した後、両サイドをケアする

シェークハンドの弱点と言えるのが、ミドル（体の正面）を狙われたときのボール。自分の立ち位置やボールの質から、フォアかバックのどちらで処理するべき

かすばやく決める。ここではミドルのボールを1本処理し、ランダムに返ってくるボールをきっちり打ち返す。体はもちろん、頭も使わないといけない。

モデル協力

渡辺　裕介（現：協和キリン）
全国高等学校卓球選手権大会 (インターハイ)
シングルス準優勝、ダブルス 3 位
平成 28 年度全日本大学総合卓球選手権大会ダブルス 3 位
平成 29 年度全日本大学総合卓球選手権大会　ダブルス準優勝
平成 29 年度天皇杯・皇后杯全日本卓球選手権大会　シングルスベスト 8

龍崎　東寅（現：三井住友海上火災保険）
平成 28 年度天皇杯・皇后杯全日本卓球選手権大会　シングルスベスト 8
平成 29 年度天皇杯・皇后杯全日本卓球選手権大会　シングルスベスト 16
第 29 回ユニバーシアード競技大会　団体準優勝（2017 年）
2016 年世界ジュニア選手権大会　ダブルス準優勝

商品協力
株式会社 VICTAS
https://www.victas.com

監修

高山　幸信

明治大学出身。学生選手、社会人選手（東京アート所属）として、数々の優勝経験がある。2008 年明治大学卓球部監督に就任。2009 年全日本大学総合卓球選手権大会（インカレ）優勝、2011 年の同大会でも再び優勝に返り咲く。水谷隼選手や丹羽孝希選手など、数々のオリンピック選手を輩出。2015 年に監督に再就任した。2016 年全日本大学総合卓球選手権大会（インカレ）ではチームを優勝に導く。2022 年は関東学生卓球リーグ戦（春季）とインカレを制している。

[選手としての戦績]	[監督としての戦績]
全日本卓球選手権大会	関東学生卓球リーグ戦
ダブルス優勝 3 回（1994・1996・1997）	春季リーグ優勝 6 回
世界選手権マンチェスター大会（1997）	秋季リーグ優勝 7 回
日本代表	全日本大学総合卓球選手権（団体の部）※インカレ優勝 5 回

デザイン：都澤昇
撮　　影：柳太、曽田英介
執筆協力：小野哲史
編　　集：株式会社ギグ

勝つ！卓球　シェークハンドの戦い方　新装版
試合を制する 50 のコツ

2022 年　10 月 20 日　第 1 版・第 1 刷発行
2025 年　 3 月 5 日　第 1 版・第 2 刷発行

監修者　高山　幸信（たかやま ゆきのぶ）
発行者　株式会社メイツユニバーサルコンテンツ
　　　　代表　大羽　孝志
　　　　〒 102-0093 東京都千代田区平河町一丁目 1-8
印　刷　株式会社厚徳社

◎『メイツ出版』は当社の商標です。

●本書の一部、あるいは全部を無断でコピーすることは、法律で認められた場合を除き、
　著作権の侵害となりますので禁止します。
●定価はカバーに表示してあります。
© ギグ ,2018,2022.ISBN978-4-7804-2681-6 C2075 Printed in Japan.

ご意見・ご感想はホームページから承っております
ウェブサイト　https://www.mates-publishing.co.jp/

企画担当：堀明研斗

※本書は 2018 年発行の『勝つ！卓球　シェークハンドの戦い方　最強のコツ 50』を元に、
必要な情報の確認と書名・装丁の変更を行い、新たに発行したものです。